KT-487-358

John Ronald Reuel Tolkien

BEREN A LÚTHIEN

John Ronald Reuel Tolkien

BEREN A LÚTHIEN

Editor Christopher Tolkien
Ilustroval Alan Lee

ARGO

Přeložil Martin Světlík a Filip Krajník

Argo, 2023

Beren and Lúthien by J. R. R. Tolkien

ISBN 978-80-257-4276-1

Pro Baillie

PŘEDMLUVA

Po vydání *Silmarillionu* v roce 1977 jsem několik let zkoumal genezi tohoto díla a současně psal knihu, kterou jsem nazval *Dějiny Silmarillionu*. Tento projekt se později (v poněkud zkrácené podobě) stal základem prvních svazků *Dějin Středozemě* (*The History of Middle-earth*).

V roce 1981 jsem napsal dlouhý dopis Rayneru Unwinovi, řediteli nakladatelství Allen and Unwin, ve kterém jsem mu vylíčil projekt, na kterém jsem v té době stále ještě pracoval. Jak jsem mu řekl, kniha tehdy čítala plných 1968 stran, na výšku šestnáct a půl palce, a rozhodně nebyla určena k vydání. Napsal jsem mu: „Až ji – pokud vůbec – někdy uvidíte, okamžitě pochopíte, proč říkám, že o jejím vydání nemůže být řeč. Rozpravy o genezi textů a další poznámky jsou příliš podrobné a minuciózní a rozsah knihy (který bude ještě dál narůstat) je naprosto enormní. Píši ji částečně proto, abych ukojil své nutkání vtisknout otcově pozůstalosti řád, a také proto, že jsem chtěl znát skutečný vývoj jeho světa od úplných prvopočátků. (…)

Pokud bude někdo někdy zkoumat ‚literární dějiny' J. R. R. Tolkiena, chci udělat vše pro to, aby nedošlo k mylnému pochopení jejich vývoje, čímž by se toto bádání zvrhlo v naprostý nesmysl. Chaos, ve kterém se mnohé rukopisy nacházejí, a textové obtíže, které nevyhnutelně představují (jediná strana častokrát obsahuje mnoho vrstev změn, stěžejní poznámky bývají roztroušené po lístečcích v jiných částech archivu, některé texty jsou napsané na zadních stranách jiných děl, rukopisy jsou neuspořádané a mnohdy ani nejsou pohromadě, některé pasáže jsou v podstatě nečitelné), vám ani nedokáži dostatečně dramaticky vylíčit. (…)

Teoreticky bych mohl na základě *Dějin* vydat mnoho různých knih, možností a variant je spousta. Například bych takto mohl připravit ‚Berena' s původním Ztraceným příběhem* *Zpěvem Leithian* a esejí o vývoji legendy. Pokud bych se k něčemu podobnému opravdu někdy odhodlal, raději bych představil jedinou legendu jako vyvíjející se entitu, než abych vydával všechny Ztracené příběhy naráz; nicméně v takovém případě by bylo obtížné poskytnout čtenáři dostatečný kontext, protože by to vyžadovalo často odkazovat na něco, co se událo jinde, v jiných nevydaných dílech."

Napsal jsem, že v těchto intencích bych knihu s názvem „Beren" rád připravil, ovšem „problém by bylo její uspořádání, aby byla látka dostatečně srozumitelná a zároveň dílu nedominovala osoba redaktora".

Když jsem tento dopis psal, myslel jsem vážně své tvrzení, že můj projekt by mohl vyjít pouze ve formě jediné legendy, představené jako „vyvíjející se entita". Nyní se mi zdá, že jsem tento svůj záměr beze zbytku naplnil, ačkoliv při jeho realizaci nehrál můj pětatřicet let starý list Rayneru Unwinovi žádnou úlohu – dočista jsem na něj zapomněl, dokud jsem ho náhodou znovu neobjevil, když byl tento svazek v podstatě hotový.

Mezi touto knihou a mou původní myšlenkou je však jeden podstatný rozdíl, a tím je kontext. Od oné doby totiž vyšla velká část rozsáhlé rukopisné pozůstalosti týkající se Prvního věku, nebo též Starých časů, v hutných a zevrubně opoznámkovaných vydáních, zejména ve svazcích *Dějin Středozemě*. Projekt knihy věnované vývoji Berenova příběhu, který jsem zmínil Rayneru Unwinovi jako možnou publikaci, by byl tehdy vynesl na světlo mnoho do té doby neznámého a nevydaného materiálu. Přítomný svazek však už neobsahuje jedinou stranu původního, dříve nepublikovaného textu. Proč je ho tedy nyní zapotřebí?

Na tuto otázku se pokusím poskytnout (nevyhnutelně komplikovanou) odpověď, či spíše několik odpovědí. Za prvé, záměrem oněch starších svazků bylo představit texty takovým způsobem, aby z nich byl patrný nevšední způsob, jakým můj otec psal (ačkoliv k němu byl

* „Ztracené příběhy" bylo označení původních verzí legend *Silmarillionu*.

mnohdy donucen vnějšími okolnostmi), potažmo popsat pořadí jednotlivých vývojových stadií jeho vyprávění a obhájit mou interpretaci důkazů, které pro takový popis máme.

První věk *Dějin Středozemě* byl zároveň koncipován jako *dějiny* ve dvou významech. Jednak to byly doopravdy dějiny – kronika osob a událostí ve Středozemi; zároveň to však byly i dějiny literárních konceptů, které se v průběhu let proměňovaly; proto je příběh Berena a Lúthien rozprostřen v mnoha letech a několika knihách. A jelikož byl příběh úzce spjatý s pomalu vznikajícím „Silmarillionem" a nakonec se stal jeho klíčovou součástí, je jeho vývoj postupně zaznamenán v řadě rukopisů, které se primárně týkají celých dějin Starých časů.

Z těchto důvodů není snadné si v *Dějinách Středozemě* přečíst příběh Berena a Lúthien jako samostatné a jasně ohraničené vyprávění.

V často citovaném dopise z roku 1951 můj otec tuto legendu nazval „hlavním z příběhů *Silmarillionu*" a o Berenovi řekl, že je to „smrtelný psanec, který (s pomocí Lúthien, která, ač elfka královského původu, je pouhou dívkou) uspěje tam, kde selhaly všechny armády a válečníci: pronikne do pevnosti Nepřítele a podaří se mu získat jeden ze silmarilů z železné koruny. Tím získá ruku Lúthien a dojde k prvnímu sňatku smrtelníka s nesmrtelným.

Ta pověst je (podle mne krásná a silná) hrdinsko-bájeslovná romance, přijatelná sama o sobě i při velmi mlhavé všeobecné znalosti pozadí. Tvoří však také podstatný článek v cyklu a vytržená ze svého místa v něm postrádá svůj plný význam."

Za druhé, tuto knihu jsem připravil s dvojím záměrem. Jednak jsem se co nejšetrnějším způsobem pokusil izolovat příběh Berena a Tinúviel (Lúthien) tak, aby mohl stát samostatně a aniž by (jak se domnívám) došlo k jeho zkreslení. Zároveň jsem chtěl ukázat, jak se tento zásadní příběh během let vyvíjel. V předmluvě ke *Knize ztracených příběhů* jsem hovořil o proměnách, jimiž legendy Středozemě prošly:

> A navíc se v dějinách Středozemě vývoj jen zřídka odehrával přímým odmítnutím napsaného – mnohem častěji se jednalo o pomalé a postupné změny, aby se tak vytváření legend (například proces, kterým se příběh o Nargothrondu dotkl vyprávění o Berenovi a Lúthien, což je kontakt,

po kterém ve *Ztracených příbězích* není ani památka, třebaže oba prvky se tu již objevují) dalo vnímat jako vývoj legend mezi národy, jako výsledek působení mnoha myslí a generací.

Klíčovým rysem této knihy je skutečnost, že vývoj legendy o Berenovi a Lúthien je zaznamenán prostřednictvím slov mého otce, protože metoda, kterou jsem zvolil, spočívá v použití pasáží z mnohem delších rukopisů, ať už prozaických nebo veršovaných, které vznikly v průběhu mnoha let.

Tímto způsobem se do popředí dostaly zevrubně popisné či bezprostředně dramatické pasáže, které se ve shrnujícím, zhuštěném stylu, typickém pro většinu příběhů *Silmarillionu*, jinak ztrácí; dokonce dojde k odhalení dějových prvků, které byly později zcela opuštěny. Jako příklad uveďme výslech Berena, Felagunda a jejich společníků, kteří jsou převlečeni za skřety, Černokněžník Thû (zde se poprvé objevuje Sauron), nebo výstup hrozivého kočičího knížete Tevilda, který si i přes svůj krátký literární život zaslouží, aby si ho čtenáři zapamatovali.

Nakonec ocituji z další své předmluvy, tentokrát k *Húrinovým dětem* (2007):

> Nelze popřít, že velmi mnoho čtenářů *Pána prstenů* vůbec nezná pověsti ze Starých časů, leda z doslechu jako cosi zvláštního a nepřístupného pojetím i literárním zpracováním.

Nelze také popřít, že příslušné svazky *Dějin Středozemě* by mohly čtenáře odradit. Způsob, jakým otec psal, byl totiž bytostně složitý a primárním účelem *Dějin* bylo jeho psaní rozplést, a tím se pověsti *Starých časů* prezentují (na první pohled) jako neustále proměnlivé výtvory.

Věřím, že na vysvětlenou odmítnutí nějakého prvku příběhu by otec možná řekl: „Nakonec jsem přišel na to, že takhle to nebylo," nebo „Usoudil jsem, že toto nebylo správné jméno." Proměnlivost jeho příběhů bychom neměli zveličovat: texty přese všechno vždy obsahují významné neměnné jádro. Mým záměrem při přípravě této knihy nicméně bylo ukázat, jak vznik prastarých legend Středozemě, které se v průběhu mnoha let proměňovaly a rozrůstaly, odráží spisovatelovo hledání správného způsobu, který by jeho mytologii představil podle jeho přání.

Ve svém dopise Rayneru Unwinovi z roku 1981 jsem napsal, že v případě, že bych se omezil na jedinou legendu ze *Ztracených příběhů*, „by bylo obtížné poskytnout čtenáři dostatečný kontext, protože by to vyžadovalo často odkazovat na něco, co se událo jinde, v jiných nevydaných dílech". To se v případě *Berena a Lúthien* ukázalo jako pravdivá předpověď. Bylo nutné dospět k nějakému řešení, protože Beren a Lúthien, spolu se svými přáteli a protivníky, nežili, nemilovali se a nezemřeli na prázdném jevišti, sami a bez minulosti. Řídil jsem se proto svým předchozím postupem v *Húrinových dětech*. V předmluvě k této knize jsem napsal:

> Z otcových slov mi tedy nesporně vyplývá, že pokud by dokázal vytvořit definitivní, ukončená vyprávění v žádoucím rozsahu, považoval by tři „Velké pověsti" ze Starých časů (*Berena a Lúthien*, *Húrinovy děti* a *Pád Gondolinu*) za díla natolik úplná sama o sobě, že nevyžadují znalost velkého souboru pověstí známého jako *Silmarillion*. Na druhé straně (...) příběh o Húrinových dětech je neodlučnou součástí historie elfů a lidí ve Starých časech a nutně se v něm vyskytuje množství odvolávek na události a okolnosti onoho většího příběhu.

Proto jsem napsal „velmi stručný přehled o Beleriandu a o národech, které tam žily ke konci Starých časů" a připojil „seznam všech jmen a názvů, které se v textu vyskytují, s velmi stručnými údaji o každém z nich". V této knize jsem tento stručný přehled z *Húrinových dětí* převzal, upravil jsem ho a zkrátil, a podobně jsem i připojil seznam všech jmen, která se v textech vyskytují, zde s vysvětlivkami nejrůznějšího charakteru. Žádný z těchto doprovodných materiálů není nezbytný, ale v případě zájmu může být čtenáři ku pomoci.

Dále bych měl zmínit problém, který nastal při častých změnách jmen. Zaznamenávat přesně a konzistentně obměny jmen a označení v textech, které vznikly v různé době, by neposloužilo účelu této knihy. V tomto ohledu jsem se tedy neřídil žádným jednoznačným pravidlem a jen v některých případech jsem z různých důvodů rozlišoval mezi starými a novými variantami. V mnoha případech otec změnil název po nějaké, někdy velmi dlouhé době, ale nebyl při tom konzistentní: například *elfský* (angl. *Elfin* – pozn. překl.) změnil na *elfí* (angl. *Elven* – pozn. překl.). V takových případech jsem jako jedinou formu zvolil *elfí*. Dalším příkladem může být *Beleriand*, kterým nahradil starší *Broseliand*. V jiných případech jsem zachoval obě varianty, například *Tinwelint/Thingol* nebo *Artanor/Doriath*.

Účel této knihy je tedy diametrálně odlišný od účelu svazků *Dějin Středozemě*, z nichž vychází. Především se nejedná o doplněk těchto knih, ale o pokus extrahovat jeden vyprávěcí prvek z rozsáhlého, výjimečně bohatého a spletitého díla; toto vyprávění, tedy příběh Berena a Lúthien, se však samo průběžně vyvíjelo, a jak se stávalo organickou složkou širších dějin, nabíralo na sebe i nové vazby. Rozhodnutí, co z tohoto starodávného světa „in toto" zahrnout a co vynechat, bylo nutně otázkou osobního a mnohdy problematického úsudku: při takovémto počinu neexistuje žádný „správný způsob". Obecně vzato jsem však upřednostňoval zřetelnost a odolával jsem potřebě vysvětlovat, abych nenarušoval hlavní účel a metodu této knihy.

V mých bezmála devadesáti třech letech je toto (nejspíš) moje poslední kniha z dlouhé řady edic písemností mého otce, které do té doby zůstávaly převážně v rukopisech. Zároveň se jedná o svazek zvláštní povahy. Tuto legendu jsem zvolil *in memoriam*, kvůli její hluboce zakořeněné přítomnosti v otcově životě a jeho soustavným úvahám o svazku Lúthien, kterou nazýval „největší z Eldar", a smrtelného Berena, o jejich osudech a jejich druhých životech.

Tento příběh se vrací hluboko do mého dětství, protože právě z něj mám nejranější vzpomínku na konkrétní prvek z nějakého vyprávění – nejen na skutečnost, že mi někdo něco vyprávěl. Můj otec mi ho, nebo jeho části, přeříkával už na počátku 30. let 20. století.

Onen prvek, který si v duchu vybavuji, jsou oči vlků, které čas od času vystoupily z temnoty v Thûově kobce.

V dopisu o mé matce, který mi napsal rok po její smrti, což byl zároveň rok před jeho vlastním skonem, psal o obrovské ztrátě, kterou cítí, a vyjádřil přání, aby na jejím hrobě bylo pod jejím jménem vytesáno slovo *Lúthien*. V onom dopisu, stejně jako v tom, který cituji na str. 25 této knihy, se vrátil ke zrodu legendy o Berenovi a Lúthien na malé lesní pasece porostlé bolehlavem kousek od vesnice Roos v hrabství Yorkshire, kde matka tančila, a prohlásil: „Ale ten příběh se zvrtnul a zůstal jsem tu já a já nemohu orodovat před neoblomným Mandosem."

POZNÁMKY KE STARÝM ČASŮM

Hlubina času, z níž se vynořuje tento příběh, byla nezapomenutelně znázorněna v jedné pasáži z *Pána prstenů*. Na Velké radě v Roklince hovořil Elrond o Posledním spojenectví elfů a lidí a o porážce Saurona na konci Druhého věku před více než třemi tisíci lety:

> Nato se Elrond odmlčel a vzdychl. „Dobře si pamatuji jejich skvělé korouhve," pokračoval po chvíli. „Připomnělo mi to slávu Starých časů a beleriandských vojsk, tolik se shromáždilo velkých knížat a kapitánů. A přece ne tolik a ne tak sličných, jako když padlo Thangorodrim a elfové se mylně domnívali, že zlu je jednou provždy konec."
>
> „Vy to pamatujete?" vyslovil Frodo v úžasu nahlas neodbytnou myšlenku. „Ale já myslel," zakoktal, když se k němu Elrond obrátil, „já myslel, že Gil-galad padl hrozně dávno."
>
> „To ano," odvětil Elrond vážně. „Má paměť však sahá až do Starých časů. Mým otcem byl Eärendil, který se narodil v Gondolinu, než město padlo, a má matka byla Elwing, dcera Diora, syna Lúthien z Doriathu. Viděl jsem tři věky západního světa a mnoho porážek a mnoho neplodných vítězství."

O Morgothovi

Morgoth, Černý nepřítel, jak se mu začalo říkat, byl původem „Melkor, první a nejsilnější ze všech Valar, který byl dřív než svět", jak prohlásil k Húrinovi, když mu ho přivedli zajatého. Nyní trvale přijal tělesnou podobu, obrovitou a majestátní, avšak strašlivou, kraloval severozápadu Středozemě a sídlil v mohutné pevnosti Angband neboli v Železném pekle: černý kouř vycházející z vrcholků Thangorodrim, hor, které nad Angbandem navýšil, bylo vidět z dálky, jak poskvrňuje severní oblohu. V *Beleriandských letopisech* se vypráví, že „Morgothovy brány stály pouhých čtyři sta padesát mil od mostu do Menegrothu; daleko, a přece příliš blízko". Tato slova se vztahují k mostu vedoucímu do sídla elfího krále Thingola; sídlo se nazývalo Menegroth, Tisíc jeskyní.

Avšak Morgoth žil v tělesné podobě, a tak znal strach. Otec o něm napsal: „Jak rostl ve zlobě a vysílal ze sebe zlo, které plodil v podobě lží a ničemných stvůr, jeho moc přecházela do nich a rozptylovala se, takže on sám byl stále víc spoután se zemí a nechtělo se mu vycházet z vlastních temných pevností." Když tedy velekrál noldorských elfů Fingolfin sám přijel k Angbandu a vyzval Morgotha na souboj, vzkřikl u brány: „Vyjdi ven, zbabělý králi, a bojuj vlastní rukou! Vylez z doupěte, vládce otroků, zalezlý lháři, nepříteli bohů i elfů, pojď ven! Chci totiž vidět tvou zbabělou tvář." A tak (jak se vypráví), Morgoth vyšel. Nemohl totiž před očima všech svých kapitánů výzvu odmítnout. Bojoval s velikým kladivem jménem Grond, které při každém úderu vyrylo velkou jámu, a zatloukl Fingolfina do hlíny. Ten však ještě těsně před smrtí přibodl Morgothovu obrovitou nohu k zemi, takže vytryskla černá a kouřící krev a zalila jámy vyryté Grondem. Morgoth od toho dne navždy kulhal. Podobně když Beren a Lúthien pronikli do nejhlubší síně Angbandu, kde Morgoth trůnil, Lúthien ho zaklela kouzlem a on se náhle zhroutil, jako když se pahorek sesouvá v lavině, svržen z trůnu jako bleskem, a zůstal ležet na podlaze pekla.

O Beleriandu

Když Stromovous rázoval Fangornem se Smíškem a Pipinem v podpaží, zpíval jim o starodávných hvozdech v rozlehlém kraji Beleriandu, jenž byl zničen v bouřích Velké bitvy na konci Starých časů. Velké moře se přes něj přelilo a zatopilo všechny země západně od Modrých hor, nazývaných Ered Luin a Ered Lindon; proto mapa v knize *Silmarillion* na východě končí tímto pohořím, kdežto mapa k *Pánu prstenů* tímtéž pohořím končí na západě; ve Třetím věku ze země nazývané Ossiriand, Země sedmi řek, po níž Stromovous kdysi chodíval, nezůstalo nic než přímořské kraje za horami:

V létě jsem bloudil jilmovými lesy Ossiriandu.
Ach, to světlo a ta hudba v létě u sedmi řek Ossir!
A myslel jsem, že je to nejlepší.

A právě přes průsmyky Modrých hor do Beleriandu přišli lidé; v oněch horách byla rovněž města trpaslíků Nogrod a Belegost; a právě v Ossiriandu se usadili Beren a Lúthien poté, co jim Mandos povolil návrat do Středozemě (str. 183).

Stromovous také chodíval mezi mohutnými borovicemi Dorthonionu („Země borovic“):

Do borového lesa na výšině Dorthonion vyšplhal jsem v zimě.
Ach, ten vítr a ta bělost a ty černé větve zimy na Orod-na-Thônu.
Můj hlas se zvedl a pěl do nebe.

Tato země se později nazývala Taur-nu-Fuin, „Les noci“, když ji Morgoth proměnil v „kraj děsu a temných kouzel, bloudění a zoufalství“ (srov. str. 80).

O elfech

Elfové se objevili na zemi v kraji daleko na východě (Palisoru), u jezera, které se nazývalo Cuiviénen, Vody probuzení. Valar je pozvali, aby opustili Středozem a přes Velké moře se odebrali do „Blažené říše“

Aman na západě světa, do země bohů. Ti, kdo pozvání přijali, podnikli pod vedením Valy Oromëho, Lovce, velký pochod napříč Středozemí, a nazývají se Eldar, elfové Velké pouti, Vznešení elfové, aby se odlišili od těch, kdo pozvání odmítli a zvolili si jako svou vlast a úděl Středozem.

Avšak ne všichni Eldar přepluli moře, přestože překročili Modré hory; ti, kdo zůstali v Beleriandu, se jmenují Sindar, Šedí elfové. Jejich velekrálem byl Thingol (což znamená „Šedoplášť"), jenž jim vládl z Menegrothu, Tisíce jeskyní v Doriathu (Artanoru). A ne všichni Eldar, kteří Velké moře přepluli, v zemi Valar zůstali; jedna z jejich velkých čeledí, Noldor („Učení"), se totiž do Středozemě vrátila. Těm se říká Vyhnanci.

Hlavním hybatelem jejich vzpoury proti Valar byl Fëanor, tvůrce silmarilů; byl to nejstarší syn Finwëho, jenž vedl zástup Noldor z Cuiviénenu, ale nyní již byl mrtev. Slovy mého otce:

> Po klenotech zatoužil Morgoth, Nepřítel, a ukradl je, když nejprve zničil Stromy, odnesl je do Středozemě a střežil je ve své veliké pevnosti Thangorodrim. Proti vůli Valar opustil Fëanor Blaženou říši a odešel do vyhnanství ve Středozemi. Odvedl s sebou velkou část svého lidu; ve své pýše totiž hodlal dobýt klenoty zpět od Morgotha silou.
>
> Následovala beznadějná válka Eldar a Edain [lidé ze tří Domů přátel elfů] proti Thangorodrim, v níž byli nakonec naprosto poraženi.

Než opustili Valinor, došlo k hrůzné události, jež pošpinila dějiny Noldor ve Středozemi. Fëanor požadoval, aby příslušníci Teleri, třetího voje Eldar na Velké pouti, kteří nyní přebývali na pobřeží Aman, odevzdali Noldor svou lodní flotilu, na niž byli ohromně pyšní, neboť bez lodí se neměl jak dostat do Středozemě. Teleri rozhodně odmítli.

Nato Fëanor a jeho lidé zaútočili na Teleri v jejich městě Alqualondë, Labutím přístavu, a lodě si vzali násilím. V bitvě, která vešla ve známost jako Zabíjení rodných, padlo mnoho příslušníků Teleri. Na tuto událost naráží *Příběh Tinúviel* (str. 34): „odporné činy Gnómů u Labutího přístavu", viz též str. 99, verše 514–19.

Fëanor brzy po návratu Noldor do Středozemě padl v bitvě a jeho sedm synů ovládalo rozlehlé země na východě Beleriandu mezi Dorthonionem (Taur-nu-Fuin) a Modrými horami.

Druhým synem Finwëho byl Fingolfin (Fëanorův nevlastní bratr), jenž byl považován za velekrále všech Noldor; se svým synem Fingonem vládl v Hithlumu, který ležel severozápadně od vysokého pohoří Ered Wethrin, Hor stínu. Fingolfin zemřel v souboji s Morgothem. Fingolfinův druhý syn, Fingonův bratr, byl Turgon, zakladatel a vládce skrytého města Gondolin.

Třetí syn Finwëho, vlastní bratr Fingolfinův a nevlastní bratr Fëanorův, vystupoval ve starších textech pod jménem Finrod, později jako Finarfin (viz str. 77). Nejstarší syn Finroda/Finarfina byl ve starších textech Felagund, v novějších ale Finrod. Inspirován velkolepostí a krásou Menegrothu v Doriathu založil podzemní pevnostní město Nargothrond. Proto byl nazýván Felagund, „Pán jeskyní". Starší Felagund je tedy totožný s pozdějším Finrodem Felagundem.

Brány Nargothrondu se otvíraly do rokle řeky Narog v západním Beleriandu; Finrodova říše se však prostírala doširoka, na východ až k řece Sirion a na západ k řece Nenning, jež se vlévala do moře u přístavu Eglarest. Felagund však byl zabit v kobkách Nekromanta Thû, později Saurona, a nargothrondskou korunu převzal druhý Finarfinův syn Orodreth, jak se píše v této knize (str. 82, 90).

Ostatní Finarfinovi synové, Angrod a Aegnor, vazalové svého bratra Finroda Felagunda, dleli v Dorthonionu a hleděli na sever přes rozlehlou pláň Ard-galen. Sestra Finroda Felagunda Galadriel dlouho bydlela v Doriathu u královny Melian. Melian (ve starších textech mimo jiné Gwendeling) byla Maia, duch obdařený velkou mocí, který na sebe vzal lidskou podobu a sídlil v beleriandských lesích s králem Thingolem. Byla matkou Elrondovy pramáti Lúthien.

V šedesátém roce po návratu Noldor vyšlo z Angbandu velké vojsko skřetů, čímž skončilo mnoho let míru. Noldor je však naprosto porazili a potřeli. Toto střetnutí se nazývalo *Dagor Aglareb*, Slavná bitva; páni elfů ji však pochopili jako výstrahu a vytvořili Obklíčení Angbandu, které trvalo téměř čtyři sta let.

Obklíčení Angbandu skončilo děsivě náhle (ovšem po dlouhé přípravě) jedné noci uprostřed zimy. Morgoth vypustil řeky ohně, které se valily dolů z Thangorodrim, a rozlehlá travnatá pláň Ard-galen, která se prostírala na sever od Dorthonionu, se proměnila ve vyprahlou a neplodnou pustinu. Od té doby byla známa jako *Anfauglith*, Dusivý prach.

Tento katastrofální výpad byl nazván *Dagor Bragollach*, Bitva náhlého plamene (str. 80). Tenkrát se poprvé z Angbandu v plné síle vynořil Glaurung, Otec draků, na jih se valily obrovské armády skřetů, elfští páni Dorthonionu padli a s nimi velká část Bëorova lidu (str. 79–80). Král Fingolfin a jeho syn Fingon byli s hithlumskými bojovníky zahnáni zpět do pevnosti Eithel Sirion (Pramen Sirionu), kde velká řeka stoupala po východní stěně Hor stínu. Proudy ohně se zastavily o hráz Hor stínu a Hithlum i Dor-lómin odolaly.

V roce po *Bragollachu* se Fingolfin v zoufalém vzteku rozjel k Angbandu a vyzval Morgotha na souboj.

BEREN A LÚTHIEN

Šestnáctého července 1964 mi otec napsal v dopise:

> Na počátku mých snah psát vlastní legendy, které by se hodily k mým osobním jazykům, byl tragický příběh zoufalého Kullerva z finské *Kalevaly*. Jeho osud je stěžejní látkou legend Prvního věku (které se mi, doufám, podaří vydat jako *Silmarillion*), ačkoliv jsem ho v „Húrinových dětech" s výjimkou tragického závěru celý změnil. Druhým zásadním bodem bylo, když jsem během zdravotní dovolené z armády v roce 1917 „spatra" napsal „Pád Gondolinu", příběh Idril a Earendila, a později téhož roku původní verzi „Příběhu o Lúthien Tinúviel a Berenovi". Ten vznikl na malém lesním palouku, hustě posetém „bolehlavem" (určitě tam byla spousta dalšího podobného kvítí) poblíž Roosu v Holderness, kde jsem byl nějaký čas u humberské posádky.

Otec a matka se vzali v březnu 1916, když jemu bylo dvacet čtyři a jí dvacet sedm. Zpočátku žili ve vesnici Great Haywood ve Staffordshiru. V červnu toho roku však otec nastoupil na loď do Francie, kde se měl zapojit do bitvy na Sommě. Z kraje listopadu 1916 jej nemocného poslali zpět do Anglie a na jaře 1917 byl převelen do Yorkshiru.

Tato první verze *Příběhu o Tinúviel*, jak jej nazýval, z roku 1917 se nedochovala – respektive se dochovala pouze v přízračné formě tužkou psaného rukopisu, který otec z většiny vygumoval a napsal přes něj text, který je naší nejstarší verzí. *Příběh o Tinúviel* byl jednou ze základních legend velkého raného díla mého otce spadajícího do jeho „mytologie“, *Knihy ztracených příběhů*, nesmírně spletitého souboru, který jsem upravil pro první dva svazky *Dějin Středozemě* (1983–1984). Jelikož je však tato kniha výslovně věnována vývoji legendy o Berenovi a Lúthien, zvláštní kontext a publikum *Ztracených příběhů* zde z větší části odsunu stranou, neboť *Příběh o Tinúviel* sám o sobě je na něm zcela nezávislý.

Ústředním vyprávěním *Knihy ztracených příběhů* byla pověst o anglickém námořníkovi z „anglosaské“ doby jménem Eriol či Ælfwine, který na cestě po oceánu na západ konečně narazí na Tol Eressëa, Osamělý ostrov, kde žili elfové, kteří opustili „Velké země“, pozdější „Středozem“ (tento termín se však ve *Ztracených příbězích* nevyskytuje). Během svého pobytu na Tol Eressëa se od místních obyvatel dozví pravdivé a staré legendy o Stvoření, bozích, elfech a Anglii. Tyto legendy jsou „Ztracenými příběhy Elfie“.

Dílo se dochovalo v řadě potrhaných „notýsků“, popsaných perem i tužkou, mnohdy strašlivě nečitelných, i když po mnoha hodinách zírání do rukopisu s lupou se mi již před lety podařilo všechny texty až na hrstku sporných slov rozluštit. *Příběh o Tinúviel* je jedním z příběhů, které Eriolovi vyprávěli elfové na Osamělém ostrově, v tomto případě dívka jménem Vëannë: u vyprávění bylo přítomno mnoho dětí. Legenda klade obrovský důraz na detail (což je její markantní rys) a je vyprávěna nesmírně osobitým stylem s řadou archaických slov a konstrukcí, který se diametrálně liší od pozdějších stylů mého otce, vášnivých, poetických, místy hluboce „elfsky tajuplných“. Čas od času se v textu dokonce setkáváme s jízlivým humorem (během hrozivé konfrontace s ďábelským vlkem Karkarasem při útěku s Berenem z Melkovy síně se Tinúviel otáže: „Pročpak ta rozmrzelost, Karkarasi?“).

Spíše než čekat na vyústění *Příběhu* bude myslím užitečnější, když zde upozorním na určité aspekty této nejstarší verze legendy a stručně objasním některá jména, která jsou pro toto vyprávění důležitá (a rovněž je nalezneme v Seznamu jmen na konci tohoto svazku).

Příběh o Tinúviel ve své revidované podobě, která je pro nás nejranější verzí textu, není v žádném případě nejstarší ze *Ztracených příběhů* a prvky ostatních příběhů nám umožňují naši legendu lépe pochopit. Pokud se zaměříme čistě na narativní strukturu, některé příběhy, jako například legenda o Túrinovi, se nijak zvlášť neliší od podoby, v jaké se objevily v *Silmarillionu*; jiné, kupříkladu Pád Gondolinu, první sepsaný příběh, byl vydán pouze ve velmi zhuštěné podobě; a jiné, zejména tento příběh, se v některých rysech zásadně liší.

Stěžejní změnou ve vývoji legendy o Berenovi a Tinúviel (Lúthien) byla skutečnost, že do ní v pozdější fázi vstoupil příběh o Felagundovi z Nargothrondu a synech Fëanora; stejně důležitá, byť z jiného pohledu, je i změna Berenovy identity. V pozdějších verzích byla zcela zásadním prvkem příběhu skutečnost, že Beren je smrtelník, zatímco Lúthien nesmrtelná elfka; ve *Ztracených příbězích* byl však elf i Beren. (Z poznámek mého otce k ostatním příběhům je však patné, že byl původně člověkem, kterým byl evidentně i ve vygumovaném rukopisu *Příběhu o Tinúviel*.) Beren byl příslušníkem elfího národa jménem Noldoli (později Noldor), které je ve *Ztracených příbězích* (i později) překládáno jako „Gnómové“: Beren byl Gnóm. S tímto zněním měl později otec problém. Výraz *Gnome*, který užíval, nemá svým původem a významem nic společného s běžným anglickým označením malých postaviček spojovaných se zahrádkami, tedy s trpaslíky. Otcovo *Gnome* vychází z řeckého slova *gnómé*, tedy „myšlenka, moudrost“; v moderní angličtině jde o slovo velmi řídké a znamená „aforismus, maxima“; jeho adjektivem je slovo *gnómický* [srov. počeštěnou variantu *gnóma*].

V pracovní verzi Přílohy F k *Pánovi prstenů* napsal:

> Při několika příležitostech (ne v této knize) jsem pro *Noldor* použil slovo „Gnómové“ a pro *noldorštinu* výraz „gnómština“. Bylo to proto, že některým čtenářům bude slovo „Gnóm“ stále evokovat moudrost. Pojem Noldor, tedy označení pro tento národ v jazyce Vznešených elfů, znamená „Ti, kdo vědí“; ze tří zástupů Eldar se Noldor již od počátku odlišovali, a to jak svými znalostmi věcí, které na tomto světě jsou a byly, tak svou touhou dozvědět se víc. Přesto se však nijak nepodobali gnómům, jak je známe z literatury nebo jak si je běžně představujeme, a nakonec jsem se rozhodl tento zavádějící termín opustit.

(Zde bych uvedl, že v dopise z roku 1954 otec rovněž přiznal, jak nesmírně lituje toho, že použil slovo „elfové", které je nyní „přetíženo nežádoucími odstíny", jež je „příliš těžké překonat".)

Nepřátelství projevované vůči Berenovi jakožto elfovi je tedy vysvětleno ve staré verzi příběhu (str. 34): „Všichni lesní elfové považovali Gnómy z Dor-lóminu za zrádné tvory, kruté a proradné."

Může být poněkud zarážející, že se pro elfy často užívá označení „víla, víly" (*fairy, fairies*). A tak, když se v lese objevily bílé můry, „Tinúviel, jakožto vílu, nikterak netrápily" (str. 34); sama sebe označuje za „princeznu víl" (str. 49); a říká se o ní, že „použila svých schopností a vílích kouzel" (str. 54). Zaprvé, slovo *fairies* je ve *Ztracených příbězích* synonymem pro *elfy*; a v těchto příbězích je několik zmínek o tělesné stavbě lidí a elfů. V této rané době otcovo pojetí podobných věcí poměrně kolísalo, ale jednoznačně si představoval vztah, který se v průběhu věků proměňoval. A tak napsal:

> Lidé byli zprvu téměř tak velcí jako elfové, neboť víly byly tehdy mnohem větší a lidé zas menší než nyní.

Příchod lidí však do vývoje elfů značně zasáhl:

> Jak se lidé stávali početnějšími a mocnějšími, víly chřadly, zmenšovaly se, slábly a průsvitněli; lidé ovšem rostli, sílili a mohutněli. Nakonec lidé, či alespoň většina z nich, již víly nebyli s to spatřit.

Není tedy důvod se na základě tohoto slova domnívat, že by si otec „víly" v tomto příběhu představoval jako nějaké průsvitné tvory; a když o mnoho let později elfové Třetího věku vstoupili do dějin Středozemě, nebylo na nich samozřejmě nic „vílího" v dnešním slova smyslu.

Slovo *fay* (do češtiny překládáno jako „víla" či „skřítek" – pozn. překl.) je o něco méně průzračné. V *Příběhu o Tinúviel* je jím často označována Melian (matka Lúthien), která přišla do Valinoru (a [na str. 33] je nazývána „dcerou bohů"), ale také Tevildo, o němž se říká, že je „zlým duchem [fay] v těle zvířete“ (str. 52). Jinde v *Příbězích* nalezneme zmínky o „moudrosti víl a Eldar“, „skřetech, dracích a zlých vílách“ a „víle z lesů a roklin“. Nejdůležitější je patrně následující pasáž z *Příběhu o příchodu Valar*:

> A s nimi přišel četný lid, duchové stromů a lesů, údolí a hvozdů a horských úbočí, či ti, kdo zrána zpívají v trávě a za večera vyzpěvují mezi stojícími klasy. Jsou to Nermir a Tavari, Nandini a Orossi [víly (?) z lučin, lesů, údolí a hor], bludičky, víly, raraši a lesní mužíčkové, či jak se jim všelijak říká, neboť jejich počet je hojný. Nesmíme si je však plést s Eldar [elfy], neboť ti se narodili před vznikem světa, nepocházejí z něj a jsou starší než všechny bytosti se světem spojené.

Dalším záhadným prvkem, který se nevyskytuje jen v *Příběhu o Tinúviel* a pro který jsem nenašel žádné vysvětlení ani obecnější komentář, je moc, jíž oplývají Valar nad věcmi lidí i elfů, včetně jejich myslí a srdcí, v dalekých Velkých zemích (Středozemi). Například: na str. 58 „Valar [Huana] přivedli na mýtinu“, kde Beren a Lúthien leželi na zemi během útěku z Angbandu; Lúthien řekla svému otci (str. 61): „Pouze Valar Berena zachránili před hořkou smrtí.“ Nebo znovu při popisu útěku Lúthien z Doriathu, kdy „nevstoupila do oněch temných končin. Sebrala znovu odvahu a pokračovala v cestě vpřed“ (str. 44) bylo později změněno na „nevstoupila do těchto temných končin a Valar znovu vložili naději do jejího srdce, a tak pokračovala v cestě vpřed“.

Pokud jde o jména, která se v příběhu vyskytují, zmíním zde, že *Artanor* odpovídá pozdějšímu *Doriathu* a byl rovněž označován jako *Záhoří*; na sever ležela bariéra *Železných hor*, rovněž nazývaných *Hořké pahorky*, kterou překročil Beren: později se znich staly *Ered Wethrin*, tedy *Hory stínu*. Za horami ležela *Hisilómë* (*Hithlum*), Země stínu, též zvaná *Dor-lómin*. *Palisor* (str. 30) je kraj, kde se probudili elfové.

Valar jsou často nazýváni bohy a také se jim říká *Ainur* (jednotné číslo *Ainu*). *Melko* (později *Melkor*) je velký zlý Vala, po krádeži silmarilů zvaný *Morgoth*, Černý nepřítel. *Mandos* je jméno jak Valy, tak místa, kde přebývá. Je strážcem Domu zemřelých.

Manwë je pánem Valar, jeho chotí je *Varda*, tvůrkyně hvězd, která s ním dlí na vrcholku Taniquetilu, nejvyšší hory Ardy. *Dva stromy* jsou velké stromy, jejichž květy daly Valinoru světlo a jež byly zničeny Morgothem a obludnou pavoučicí Ungoliant.

Závěrem by se zde slušelo říci něco o silmarilech, které jsou pro legendu o Berenovi a Lúthien stěžejním prvkem: stvořil je Fëanor, největší z Noldor, „nejobratnější a nejvýmluvnější"; jeho jméno znamená „Ohnivý duch". Ocituji pasáž z textu *Quenta Noldorinwa*, pozdějšího „silmarillionovského" textu (1930), o němž naleznete více na str. 77:

> Jednoho dne v oněch dávných dobách započal Fëanor dlouhé a pozoruhodné dílo a vynaložil na ně veškerou svou sílu a jemná kouzla, neboť hodlal vyrobit věc, jež bude krásnější než cokoliv, co kdy Eldar vyrobili, a jež přečká konec všeho. Zhotovil tři klenoty a pojmenoval je silmarily. Žhnul v nich živý oheň, jenž byl smísen ze světla Dvou stromů, a vlastní září svítily i v temnotě. Pokud se jich dotklo nečisté tělo smrtelníka, bylo spáleno a sežehnuto. Těchto klenotů si elfové cenili nade všechny své výtvory. Manwë je posvětil a Varda pravil: „Zde je uzamčen osud elfů a osud mnoha dalšího." Fëanorovo srdce lnulo k těmto věcem, jež sám vytvořil.

Aby Fëanor a jeho sedm synů stvrdili své jedinečné a nezcizitelné právo na silmarily, které ukradl Morgoth, vyřknuli hrozivou a navýsost zhoubnou přísahu.

Vëannin příběh byl výslovně určen Eriolovi (Ælfwinovi), který o Tinúviel nikdy předtím neslyšel, ale její vyprávění nemá žádný skutečný úvod: začíná popisem Tinwelinta a Gwendelingy (později známých jako Thingol a Melian). Ve věci tohoto zásadního prvku legendy se však znovu obrátím na *Quenta Noldorinwa*. V *Příběhu* je děsivý Tinwelint (Thingol) ústřední postavou: je to král elfů, který přebývá v hlubokých lesích Artanoru a vládne ze své rozlehlé sluje v samém srdci lesa. Významnou osobou je však i královna, ač ji skoro nevidíme. Uvedu tedy její popis podle *Quenta Noldorinwa*.

V tomto textu se říká, že na Velké pouti elfů z dalekého Palisoru, kraje, kde se probudili, s konečným cílem dosáhnout Valinoru daleko na západě za velkým Oceánem:

bylo [mnoho elfů] ztraceno na dlouhých tmavých cestách a bloumalo v lesích a horách světa a nikdy nedošlo do Valinoru ani nespatřilo světlo Dvou stromů.

Proto jsou nazýváni Ilkorindi, Elfové, již nikdy nepřebývali v Kôru, městě Eldar [elfů] v kraji bohů. Jsou to Temní elfové, kteří žijí v mnohých roztroušených kmenech a hovoří mnoha jazyky.

Náčelníkem Temných elfů, jenž se těšil úctě, byl Thingol. Z tohoto důvodu nikdy nedošel do Valinoru. Melian byla víla. Přebývala v zahradách [Valy] Lóriena a žádný z jeho sličného lidu nebyl krásnější, moudřejší či schopný kouzelnějšího či podmanivějšího zpěvu. Říká se, že když během míšení světla Melian v zahradách Boha Snů zpívala, bohové zanechávali svých povinností, valinorští ptáci ustali ve svém veselí, že zvony ve Valmaru ztichly a fontány přestávaly téct. Neustále při ní byli slavíci a ona je naučila jejich písně. Milovala však hluboký stín a vydávala se na dlouhé cesty do Vnějších zemí [Středozemě], kde plnila ticho rozednívajícího se světa svým hlasem a hlasem svých ptáků.

Melianiny slavíky zaslechl Thingol. Jejich zpěv ho okouzlil a opustil svůj lid. Pod stromy nalezl Melian a byl uvržen do snu a hlubokého spánku, takže jej jeho lidé marně hledali.

Ve Vëannině vyprávění poté, co se Tinwelint ze svého mýticky dlouhého spánku probudil, „již nemyslel na svůj lid (což by bylo beztak zbytečné, neboť tito již dávno došli Valinoru)“ a toužil jen spatřit paní soumraku. Nebyla daleko, protože na něj během jeho spánku dohlížela. „Více z jejich příběhu však nevím, ó Eriole, až na to, že se nakonec stala jeho manželkou, neboť Tinwelint a Gwendeling byli dlouho králem a královnou Ztracených elfů Artanoru či Záhoří, nebo tak se to tu alespoň traduje.“

Vëannë dále řekla, že Tinwelintovo sídlo „bylo ukryto před zrakem i věděním Melka kouzly víly Gwendeling, která kolem cest k němu utkala kouzla, že nikdo jiný než Eldar [elfové] jimi snadno neprošel, a tak byl král ochráněn před všemi nebezpečenstvími až na zradu. V hluboké a rozlehlé jeskyni vyrostly jeho komnaty, jež byly vpravdě královským a skvostným sídlem. Tato sluj se nacházela v srdci mohutného artanorského lesa, nejmohutnějšího ze všech lesů, a před její branou proudila bystřina a nikdo nemohl vstoupit jinudy než po úzkém mostu, jenž přes něj vedl a jenž byl bedlivě střežený.“ Nato Vëannë zvolala: „Slyšte, teď vám povím o věcech, které se v Tinwelintově sídle udály." A toto je bod, ve kterém může začít vlastní příběh.

Příběh o Tinúviel

Poté měl Tinwelint dvě děti, Dairona a Tinúviel, a Tinúviel byla nejkrásnější ze všech dívek skrytých elfů. Jen hrstka se s ní mohla krásou měřit, neboť její matka byla víla, dcera bohů. Dairon byl chlapec, silný a veselý, a jeho největší zálibou byla hra na rákosovou flétnu nebo jiné lesní nástroje. Dnes je považován za jednoho ze tří nejpodmanivějších elfských hudebníků. Těmi zbylými jsou Tinfang Sedmihlásek a Ivárë, který hraje u moře. Tinúviel však měla raději tanec a krásu a ladnost jejích mihotavých nohou nic nepřekonalo.

Dairon a Tinúviel se rádi vzdalovali jeskynnímu paláci svého otce Tinwelinta a společně trávili dlouhé chvíle mezi stromy. Tam si Dairon častokrát sedl na travnatý trs či kořen stromu a hrál, zatímco Tinúviel na jeho hudbu tančila. A když tančila k Daironově hře, byla pružnější než Gwendeling, úchvatnější než Tinfang Sedmihlásek za svitu měsíce a nikdo nikde nespatřil takovou ladnost, leda snad v růžových zahradách Valinoru, kde na věčně zelených trávnících tančí Nessa.

Dokonce i uprostřed noci, kdy měsíc bledě zářil, stále hráli a tančili a neměli strach, jako bych ho měla já, neboť vláda Tinwelinta a Gwendelin nevpustila do lesa zlo, Melko je dosud netrápil a lidé pobývali za kopci.

Místo, jež milovali nejvíce, byl stinný kout, kde rostly jilmy a též buky, ne však příliš vysoké, a kaštanovníky s bílými květy. Zem tam však byla vlhká a pod stromy v oparu bujel bolehlav. Jednou v červnu si tam sourozenci hráli a bílé okolíky bolehlavu vypadaly jako oblak obklopující kmeny stromů. I Tinúviel na onom místě tančila, dokud nenastal podvečer a vzduch nezaplnilo množství bílých můr. Tinúviel, jakožto vílu, nikterak netrápily, jako trápí mnohé lidské děti, ačkoliv neměla v lásce brouky a pavouků by se nikdo z Eldar kvůli Ungweliantë nedotkl – nyní se jí však bílé můry mihotaly kolem hlavy a Dairon trylkoval tajemnou melodii, když se stala ona podivná věc.

Nikdy jsem se nedozvěděla, jak se tam Beren zpoza pahorků dostal. Byl však jedním z nejodvážnějších, jak uslyšíš, a možná to byla jeho záliba v toulání, co ho kvapem provedlo hrůzami Železných hor, než došel do Záhoří.

Beren byl Gnóm, syn polesného Egnora, jenž lovil na temnějších místech na severu Hisilómë. Mezi Eldar a těmi z jejich rodu, kteří okusili Melkovu porobu, vládly bázeň a nedůvěra, jež byly odplatou za odporné činy Gnómů v Labutím přístavu. Mezi Berenovým lidem kolovaly Melkovy lži, takže věřili hrozným věcem o skrytých elfech. Nyní však za soumraku spatřil tančit Tinúviel, jež byla oděna do šatů ze stříbrných perel, a její bílé bosé nohy se míhaly mezi stonky bolehlavu. Berenovi v ten okamžik nezáleželo na tom, zda je to Vala, elfka, či lidské dítě, a přikradl se blíže, aby lépe viděl. Opřel se o mladý jilm, který rostl na pahorku, a shlédl na malou mýtinu, kde tančila, neboť se mu z jejího kouzla podlamovala kolena. Byla velmi štíhlá a tak nevýslovně krásná, že nakonec nepozorně vystoupil ze svého úkrytu, aby na ni měl lepší výhled. Ve stejnou chvíli větvemi pronikl svit úplňku a Berenovu tvář spatřil Dairon. Okamžitě poznal, že nepatří k jejich lidu. Všichni lesní elfové považovali Gnómy z Dor-lóminu za zrádné tvory, kruté a proradné, a tak Dairon upustil svůj nástroj a s výkřikem „Utíkej, utíkej, ó Tinúviel, v tomto lese je nepřítel“ hbitě zmizel mezi stromy. Překvapená Tinúviel ho okamžitě nenásledovala, neboť zprvu nerozuměla jeho slovům. Věděla, že není v běhu ani skoku tak zdatná jako její bratr, a tak poté vmžiku vklouzla mezi bílý bolehlav a skryla se za velmi vysokou bílou květinou s mnoha roztaženými listy. Zde ve svém bílém rouchu vypadala jako sprška měsíční záře, prosvítající mezi lístky při zemi.

Beren byl smutný, neboť zůstal sám a jejich úlek jej zarmoutil. Všude hledal Tinúviel, neboť měl za to, že neutekla. A tak se najednou dotkl její štíhle paže mezi lístky, načež ona s výkřikem vyskočila a utíkala ve slabém světle, jak nejrychleji dovedla. Hnala se a třepotala v měsíčních paprscích mezi stonky bolehlavu a kmeny stromů, jak to dokážou jen Eldar. Po něžném dotyku její paže ji Beren zatoužil najít ještě víc a rychle se za ní vydal, ale ne dost rychle, neboť mu nakonec unikla a ve strachu doběhla do otcova sídla. Po mnoho dní se neodvažovala tančit v lese sama.

Beren byl velmi zarmoucený. Zůstal na těch místech a doufal, že elfí pannu znovu spatří při tanci. Po mnoho dní bloudil lesem a pátral po Tinúviel a jeho samota jej sužovala čím dál víc. Pátral po ní za rozbřesku i za soumraku, ale nejvíce doufal, když jasně zářil měsíc. Konečně jedné noci zahlédl v dálce odlesk a hle, tančila tam sama, bez Dairona, na malém pahorku beze stromů. Častokrát tam poté přicházela a tančila a zpívala si. Někdy byl poblíž i Dairon, tehdy ji Beren pozoroval z dálky zpoza stromů. Někdy tam nebyl a Beren se přikradl blíž. Tinúviel o jeho přítomnosti dlouho věděla, ale předstírala opak a při pohledu na tesklivou touhu v jeho tváři osvícené měsícem ji strach dávno opustil. Viděla, že je přátelský a že se zamiloval do jejího nádherného tance.

Nato Beren potají Tinúviel následoval skrze les až ke vstupu do jeskyně za mostem, a když zmizela, něžně přes potok volal „Tinúviel“, neboť zachytil její jméno z Daironových rtů. A i když o tom nevěděl, Tinúviel mnohokrát naslouchala ve stínu jeskynní brány a tiše se smála nebo usmívala. Nakonec jednoho dne, kdy tančila opět sama, sebral Beren odvahu, vykročil a řekl jí: „Tinúviel, nauč mne tančit.“ „Kdo jsi?“ otázala se. „Beren. Překročil jsem Hořké pahorky.“ „Pokud opravdu chceš tančit, následuj mne,“ odtušila ona panna a tančila před Berenem dál a hlouběji do lesa, hbitě, ale ne tak rychle, aby ji nemohl následovat, a čas od času se ohlédla a smála se, jak za ní klopýtá, a říkala: „Tanči, Berene, tanči, jak se tancuje za Hořkými pahorky!“ Tímto způsobem došli klikatými cestičkami až k Tinwelintově sídlu a Tinúviel pokynula Berenovi zpoza potoka a on ji v úžasu následoval do sluje a hlubokých síní jejího domova.

Když však Beren stanul před králem, byl v rozpacích a majestátnost královny Gwendeling v něm vzbuzovala posvátnou bázeň. A hle, když se ho král otázal, „Kdo jsi, že nezván vešels do mých síní?", neměl, co by řekl. Tinúviel tedy odpověděla za něj, říkouc: „Toto, otče můj, je Beren, poutník zpoza pahorků, a rád by se naučil tančit, jako tančí elfové z Artanoru." Nato se rozesmála, avšak král, uslyšev, odkud Beren přišel, se zamračil a pravil: „Nech těch lehkomyslných slov, mé dítě, a pověz, chtěl ti tento divoký elf ze stínů nějak ublížit?"

„Nikoliv, otče," odpověděla, „a jsem přesvědčená, že nemá v srdci žádného zla. Nebuď na něj přísný, pokud nechceš, aby tvá dcera Tinúviel plakala, neboť chová k mému tanci obdiv větší než kdo jiný, koho jsem poznala." Tinwelint tedy odpověděl: „Ó Berene, synu Noldoli, čeho si žádáš od lesních elfů, než se vrátíš, odkud jsi přišel?"

Když za něj Tinúviel takto promluvila ke svému otci, srdce mu zaplavila taková užaslá radost, že se v něm vzdmula odvaha a jeho dobrodružný duch, jenž jej přivedl přes Železné hory z Hisilómë, se znovu probudil. Směle pohlédl Tinwelintovi do očí a pravil: „Ó králi, žádám o tvou dceru Tinúviel, neboť je to ta nejkrásnější a nejlíbeznější z panen, jaké jsem kdy spatřil či o kterých jsem snil."

Vtom se síní rozhostilo ticho, až na Daironův smích, a všichni, kteří to uslyšeli, zůstali v úžasu. Tinúviel však sklopila oči, a když si král přeměřil Berenův divoký a nedbalý vzhled, rozesmál se. Nato Beren zrudl hanbou a srdce Tinúviel se pro něj rozbolelo. „Jen si vezmi mou Tinúviel, nejkrásnější ze všech panen světa, a staň se vládcem lesních elfů – vždyť to, co cizinec žádá, je jen maličkost," pravil Tinwelint. „Snad jen bych na oplátku požádal o něco i já. Nebude to nic velkého, jen projev tvé úcty. Přines mi silmaril z Melkovy koruny a toho dne se Tinúviel stane tvou, bude-li chtít."

Všichni přítomní věděli, že je králi Gnóma líto a obrací vše v neobratný žert, a usmívali se, neboť sláva Fëanorových silmarilů se šířila po celém světě. I Noldoli si o nich vyprávěli příběhy a mnozí, již unikli z Angamandi, viděli, jak nyní skvostně září na Melkově železné koruně. Tuto korunu nikdy nesundával z hlavy a její klenoty střežil jako oko v hlavě a nikdo na celém světě, víla, elf ani člověk, nemohl doufat, že se jich byť jen dotkne prstem a přežije. Beren to věděl a uhodl, co stojí za jejich pobavenými úsměvy, a pln hněvu vykřikl: „Takový dar není dost velký pro otce tak líbezné nevěsty. Nicméně obyčeje lesních elfů mi připadají podivné, jako neotesané zákony lidského druhu, že si vybíráš dar, ještě než je ti nabídnut. Však hle! Já, Beren, lovec národa Noldoli, tvé malé přání vyplním." A s tímto vyrazil ze sálu, zatímco všichni zůstali v úžasu stát, jen Tinúviel se v ten okamžik rozplakala. „To bylo kruté, otče můj," štkala, „poslat ho svým žalostným žertováním na smrt – nyní se jistě o ten čin pokusí, neboť tvé opovržení jej velmi rozlítilo, a Melko ho zabije a nikdo již nebude s takovou láskou hledět, jak tančím."

Nato řekl král: „Nebude to první Gnóm, kterého Melko zabil, a to i z malichernějších důvodů. Může být rád, že za vniknutí do mého sídla a svá nestoudná slova neleží spoután strašlivými kouzly." Gwendeling však nic neřekla, nekárala Tinúviel ani se nevyptávala, proč kvůli onomu neznámému tulákovi najednou pláče.

Berena však jeho zlost zavedla od Tinwelinta daleko skrze les, až dospěl k nižším pahorkům a krajinám beze stromů, které předznamenávaly začátek ponurých Železných hor. Teprve tehdy pocítil únavu a přerušil svůj pochod a od této chvíle se začalo psát jeho opravdové utrpení. Noci prožíval v hlubokém zoufalství a svému úkolu nepřiznával pražádnou naději, jíž opravdu příliš neměl, a brzy, jak procházel Železné hory a přiblížil se k hrůzostrašným krajům, kde pobýval Melko, zmocnil se jej ohromný strach. Na těchto místech žilo mnoho jedovatých hadů a krajinou se toulali vlci a ještě děsivější byly potulné bandy skřetů – Melkových odporných zplozenců, kteří obcházeli okolí a vykonávali jeho zlé dílo, honili a chytali zvířata, lidi i elfy a vláčeli je za svým pánem.

Mnohokrát skřeti Berena málem chytili a jednou unikl před čelistmi obrovského vlka, s nímž musel bojovat, vyzbrojen pouze holí z jasanového dřeva, a cestou do Angamandi každý den zakoušel další nebezpečenství a dobrodružství. Často jej trápily i hlad a žízeň a mnohokrát se chtěl otočit a vrátit se zpět, ovšem to by bylo téměř stejně nebezpečné jako pokračovat v cestě. V srdci se mu však ozýval hlas Tinúviel, jak se za něj přimlouvá u Tinwelinta, a v noci se mu někdy zdávalo, že jeho srdce slyší, jak pro něj tiše pláče daleko ve svých domovských lesích. A bylo tomu skutečně tak.

Jednoho dne měl takový hlad, že se jal prohledávat jeden opuštěný skřetí tábor v naději, že tam objeví zbytky jídla. Několik skřetů se však nečekaně vrátilo a Berena zajalo. Trýznili ho, ale nezabili, neboť jejich kapitán, vida, jak je silný, byť ztrhaný útrapami, měl za to, že by Melko mohl být potěšen, kdyby mu vězně přivedli a on jej mohl zapojit do těžké otrocké práce ve svých dolech nebo kovárnách. A tak byl Beren předveden před Melka, avšak srdce měl plné odvahy, neboť lid jeho otce věřil, že Melkova moc nebude trvat věčně, ale že Valar konečně vyslyší nářky Noldoli, povstanou, spoutají Melka a znovu otevřou Valinor znaveným elfům, a zemi se vrátí veliká radost.

Melko na něj však hleděl bez sebe zlostí a chtěl vědět, jak se Gnóm, svým rodem předurčený k otroctví, mohl opovážit vzdálit se bez vyzvání do lesů. Beren mu však odpověděl, že není žádný uprchlík, ale že pochází z rodu Gnómů, kteří žijí v Aryadoru, kde se smísili s lidským pokolením. To Melka rozlítilo ještě více, protože chtěl vždy učinit přítrž přátelství a vztahům mezi elfy a lidmi, a pravil, že má před sebou očividně strůjce rozsáhlého spiknutí proti své vládě a že si Beren zaslouží mučení balrogů. Beren, uslyšev tuto hrozbu, však řekl: „Ó nejmocnější Ainu Melko, pane světa, nevěř tomu, neboť bylo-li by to tak, nebyl bych zde sám a bez pomoci. Beren, syn Egnorův, nechová k lidskému rodu pražádné přátelství. Krajiny zamořené tímto pokolením se mu dokonce natolik příčily, že se rozhodl opustit Aryador. Otec mi vyprávěl tolik velikých příběhů o tvé vznešenosti a slávě, že, ač věru nejsem odpadlým otrokem, netoužím po ničem než sloužit ti, jak jen bude v mé skromné moci.“ Nato Beren dodal, že dokáže znamenitě lapat do pastí malá zvířata a chytat ptáky a že se při lovu ztratil v horách, až se po předlouhém putování dostal do neznámého kraje, a i kdyby ho skřeti nebyli zajali, i tak by byl neměl jinou možnost, jak se dostat do bezpečí, než vyhledat jeho Výsost Ainu Melka a vyprosit si u něj nějaký skromný úřad – kupříkladu lovce masa pro jeho tabuli.

Ta slova mu museli vnuknout samotní Valar, či snad Gwendeling jej v soucitu pomocí kouzla obdarovala lstivou řečí, neboť si tímto skutečně zachránil život a Melko mu, při pohledu na jeho silné tělo, uvěřil a přijal ho jako sluhu do svých kuchyní. Lichotky tomuto Ainu vždy sladce voněly a i přes jeho nezměrnou moudrost jej oklamalo mnoho lží těch, jimiž pohrdal, pokud byly sladce zavinuty do lichotivých slov. A tak vydal rozkaz, aby se Beren stal sluhou kočičího knížete Tevilda. Tevildo byl mocný kocour – nejmocnější ze všech. Někteří říkali, že je posedlý zlým duchem, a neustále se držel Melka. A tomuto kocourovi byly podřízeny všechny ostatní kočky a spolu s nimi opatřoval maso pro Melkův stůl a jeho četné hostiny. Proto i nyní, když Melkova vláda padla a jeho zvířata znamenají jen málo, panuje mezi elfy a kočkami nenávist.

A tak, když Berena odvedli do Tevildových síní, jež nebyly Melkově trůnu příliš vzdálené, měl obrovský strach, neboť takový vývoj neočekával a místnosti byly spoře osvětleny a z přítmí se ozývalo všudypřítomné vrčení a děsivé předení.

Všude seděli Tevildovi družiníci a mávali a švihali svými nádhernými ocasy a jejich kočičí oči zářily jako zelené, červené nebo žluté lucerny. Tevildo sám jim předsedal, byl to silný kocour, černý jako uhel a zlý již na pohled. Jeho oči byly protáhlé, úzké a šikmé a zářily rudou i zelenou barvou; jeho dlouhé šedivé vousky byly pevné a ostré jako jehly. Jeho předení znělo jako víření bubnu a jeho vrčení jako hrom. Když však zlostně zavřískl, člověku tuhla krev v žilách a malá zvířata a ptáci vskutku jako by se při tom zvuku proměnili v kámen nebo padali na zem mrtví. Jakmile Tevildo uviděl Berena, přimhouřil oči, až to vypadalo, že jsou zavřené, a řekl: „Cítím psa." Od té chvíle Berena nesnášel. Doma v divočině Beren psy miloval.

„Proč," pravil Tevildo, „se mi sem odvažujete vodit toto stvoření? Ledaže by bylo na maso." Ti, co Berena přivedli, však odvětili: „Melko nařídil, aby tento ubohý elf dožil jako lovec zvěře v Tevildových službách." Nato Tevildo pohrdlivě zavrčel a pravil: „Potom musil můj pán spát nebo být duchem nepřítomný, neboť jak by mohlo dítě Eldar pomoci kočičímu knížeti a jeho družiníkům při lovu ptáků nebo zvířat – to jste mi rovnou mohli přivést nějakého nemotorného člověka, protože nikdo z elfů stejně jako lidí s námi při lovu neudrží krok." Vymyslel však pro Berena zkoušku a řekl mu, ať chytí tři myši, neboť, jak pravil, „má síň je jimi zamořena". To sice, jak se dalo předpokládat, nebyla pravda, ovšem nějaké myši tam skutečně pobývaly – velmi divoký, zlý a kouzelný druh, jenž se tam odvažoval žít v tmavých dírách. Tyto myši byly větší než krysy a nesmírně zuřivé, Tevildo je choval pro zábavu a dbal na to, aby jich neubývalo.

Tři dny se je Beren pokoušel chytit, ale jelikož neměl nic, z čeho by mohl vyrobit past (a vskutku Melkovi nelhal, když tvrdil, že je zběhlý ve vymýšlení takových zařízení), jeho snaha vyšla vniveč a vynesla mu pouze pokousaný prst. Tevildo neskrýval své pohrdání a zlost, ale kvůli Melkovu rozkazu od něj ani jeho družiníků Beren neutrpěl více než několik škrábanců. Následující čas strávený v Tevildově příbytku však pro něj byl zlý. Udělali z něj pomocníka v kuchyni a jeho bídné dny sestávaly z vytírání podlah, mytí hrnců, drhnutí stolů, štípání dřeva a nošení vody. Častokrát také musel otáčet roštem, na němž se opékali chutně vyhlížející ptáci a tlusté myši pro kočky. Jemu samotnému bylo však zřídka dopřáno jídla nebo spánku a velmi zhubl a sešel a často si přál, aby byl nikdy nevytáhl paty z Hisilómë a dokonce ani nezahlédl Tinúviel.

Krásná panna dlouho po Berenově odchodu plakala a více již netančila v lese. Dairon měl zlost a nechápal ji, ale ona si Berenovu tvář, jež prosvítala mezi větvemi, a praskání jeho kroků, jak ji následoval lesem, zamilovala. Zamilovala si i jeho hlas, jenž toužebně volal „Tinúviel, Tinúviel" zpoza potoka před branou otcova sídla, a toužila jej znovu uslyšet. Nyní když Beren utekl do Melkových síní zla a možná již zahynul, neměla na tanec ani pomyšlení. Tolik ji tato myšlenka sužovala, že nakonec vyhledala svou matku, neboť za otcem ta křehká dívka neměla odvahu jít a ani nechtěla, aby ji viděl plakat.

„Ó Gwendeling, matko má," pravila, „použij svá kouzla, můžeš-li, a pověz, jak se Berenovi daří. Je dosud v pořádku?" „Ne," odtušila Gwendeling. „Je sice naživu, ale ve zlém zajetí a naděje mu v srdci vyhasla, neboť slyš, stal se z něj otrok v područí kočičího knížete Tevilda."

„Je-li to tak," pravila Tinúviel, „musím se mu vypravit na pomoc, neboť neznám nikoho jiného, kdo by tak učinil."

Gwendeling se jí nevysmála, neboť v mnoha záležitostech oplývala moudrostí, ba dokonce předvídavostí. Ani ve zlém snu by ji však nenapadlo, aby se elf, natož dívka a dcera krále, vypravil bez doprovodu do Melkových síní, dokonce ani za oněch raných časů před Bitvou slz, kdy Melkova moc ještě nebyla tak velká a on zastíral své úmysly a rozhazoval své sítě lží. A tak jí Gwendeling tiše pověděla, aby nevykládala takové pošetilosti. Tinúviel však odvětila: „V tom případě musíš otce požádat o pomoc, aby do Angamandi poslal bojovníky a požadoval po Ainu Melkovi, aby Berena propustil."

A přesně to Gwendeling z lásky k dceři učinila, a Tinwelint tak zuřil, že si Tinúviel přála, aby bývala své přání nikdy nevyslovila nahlas. Tinwelint jí přikázal, aby o Berenovi již nikdy nehovořila, ani na něj nemyslila, a přísahal, že pokud se ten mladík ještě někdy ukáže v jeho síních, zabije ho. Tinúviel poté usilovně zvažovala, co by mohla učinit. Šla za Daironem a prosila jej, aby jí pomohl, nejlépe aby se s ní vypravil do Angamandi, pokud by se uvolil; Dairon však projevil pramálo lásky k Berenovi a pravil: „Proč bych se měl vydat vstříc tomu nejhrozivějšímu nebezpečí, jaké na světě existuje, kvůli potulnému lesnímu Gnómovi? Nechovám k němu žádnou vřelost, neboť zničil naši společnou hru, naši hudbu a náš tanec." Dairon však poté navíc řekl králi, co po něm Tinúviel žádala – ne ze zlého úmyslu, ale z obavy, že Tinúviel podlehne bláznovství v srdci a půjde na jistou smrt.

Jakmile to Tinwelint uslyšel, předvolal si Tinúviel a pravil: „Proč, mé děvče, nezapomeneš na tuto pošetilost a neposlechneš, co jsem ti přikázal?" Na to Tinúviel neodpověděla, a tak jí král nařídil, aby mu slíbila, že na Berena již nebude více myslit, ani se jej nepokusí nerozumně následovat do krajů zla, a to ani samotna, ani nebude přemlouvat nikoho z jeho lidí, aby šel s ní. Tinúviel však pravila, že první mu slíbit nemůže a druhé jen zčásti, a sice to, že nebude přemlouvat nikoho z lesních elfů, aby se k ní připojil.

Nato se její otec lítě rozzuřil, ovšem za jeho zlostí byl nemalý údiv a strach, neboť Tinúviel miloval. A jelikož nemohl svou dceru navždy držet v jeskyních, kam zavítá jen slabé a nestálé světlo, vymyslil tento plán. Nad branami do jeho jeskynního sídla se tyčil strmý svah, pod kterým proudila řeka, a tam rostly ztepilé buky. Jeden z nich se jmenoval Hirilorn, Královna Stromů, neboť byl velmi vzrostlý a tak hluboko rozeklaný byl jeho kmen, až se zdálo, jako by ze země spolu vyrazily tři pně, stejně vysoké, široké a rovné, a jejich šedivá kůra byla hladká jako hedvábí a nesmírně vysoko nad hlavami lidí na nich nerostly žádné větve ani haluze.

Tu Tinwelint vysoko na tomto podivném stromu, tak vysoko, kam jen dosáhly nejdelší lidské žebříky, nechal postavit malý dřevěný domek, který se nacházel nad prvními větvemi a byl příjemně stíněn listovím. A ten domek měl tři rohy a v každé stěně tři okna a každý z oněch rohů byl u jednoho kmene Hirilorn. Tam potom musela Tinúviel na Tinwelintův příkaz žít, dokud nepřijde k rozumu, a jakmile vystoupala po žebřících z vysoké borovice, tyto žebříky zespodu odstranili a ona již neměla, jak by slezla zpět dolů. Vše, čeho žádala, jí bylo dopraveno, sloužící stoupali po žebřících a přinášeli jídlo a vše ostatní, co si přála, a když sestoupili, žebříky zase odnesli. Každému, kdo by u stromu žebřík nechal nebo by se pokusil jej tam potají v noci přistavit, slíbil král smrt. K úpatí stromu byl proto postaven strážný; Dairon však na to místo často přicházel ve smutku z toho, co způsobil, neboť byl bez Tinúviel osamělý. Tinúviel se však zprvu velice těšila ze svého domu v listoví a vyhlížela z jeho malého okénka, zatímco Dairon vespodu hrál své nejsladší melodie.

Jedné noci však Tinúviel Valar vnukli sen, v němž se jí zdálo o Berenovi, a její srdce pravilo: „Pusť mne hledat toho, na nějž všichni zapomněli." Když se vzbudila, skrze stromy svítil měsíc a ona se jala usilovně přemýšlet, jak by mohla utéci. Jak se dalo očekávat, Tinúviel, dcera Gwendeling, byla zběhlá v kouzlech a zaříkáních a po dlouhých úvahách vymyslila plán. Druhého dne požádala ty, kteří k ní vystoupali, aby jí přinesli, budou-li tak hodní, trochu té nejčistší vody z řeky vespod, „kterou však," jak pravila, „je třeba nabrat o půlnoci do stříbrné misky a bez jediného slova mi ji přinést do rukou". Nato požádala o víno, „které však," jak pravila, „je třeba sem přinést v poledne v nádobě ze zlata, a ten, jenž je ponese, při tom musí zpívat". I učinili, jak jim bylo nařízeno, aniž by o tom zpravili Tinwelinta.

Poté pravila Tinúviel: „Nyní běžte za mou matkou a povězte jí, že její dcera si žádá kolovrat, aby si ukrátila dlouhý čas." Nadto potají požádala Dairona, aby jí vyrobil malý tkalcovský stav, a on tak učinil přímo v malém domku Tinúviel ve stromu. „Ale co budeš příst a co budeš tkát?" otázal se. A Tinúviel odvětila: „Kouzla a čáry." Dairon však nepoznal její záměr a nic neřekl ani králi, ani Gwendeling.

Když byla Tinúviel sama, vzala víno a vodu a za zpěvu mocné kouzelné písně je smísila dohromady, a když byly ve zlaté misce, začala zpívat píseň růstu, a když byly ve stříbrné misce, zazpívala jinou píseň, v níž zazněly názvy všech největších a nejdelších věcí na zemi: zmínila vousy Indravangů, Karkarasův ocas, Glorundovo tělo, Hirilornin kmen a Nanův meč a nezapomněla ani na řetěz Angainu, který zhotovili Aulë a Tulkas, nebo na krk obra Gilima a nakonec a nejdéle pěla o vlasech Uinen, paní moří, jež se rozprostírají po všech vodách. Nato do směsi vody a vína ponořila hlavu a během toho pěla třetí píseň, o nejhlubším spánku, a vlasy Tinúviel, tmavé a hebčí než nejjemnější vlákna soumraku, začaly v tu ránu nesmírně rychle růst a po dvanácti hodinách zaplnily téměř celou její místnůstku. Tinúviel byla velmi potěšena a uložila se k odpočinku. A když se vzbudila, místnost byla plná jakési černé mlhy a ona byla utopená hluboko v ní a hle, její vlasy přetékaly z oken a v ranním větru vlály kolem kmenů stromu. Poté s obtížemi nalezla své malé nůžky a blízko hlavy odstřihla prameny onoho porostu, načež jí vlasy rostly zas jako předtím.

Poté se Tinúviel pustila do namáhavého díla, a přestože pracovala se zručností elfa, předení jí trvalo dlouho a tkaní ještě déle, a kdykoliv za ní někdo měl přijít a zespodu ji pozdravil, ona jej poslala pryč, řkouc: „Jsem na loži a netoužím po ničem než po spánku." Dairon se tomu velice podivoval a mnohokrát na ni volal, ale ona mu neodpovídala.

Z oněch obláčkových vlasů utkala Tinúviel háv jako černá mlha nasáklá ospalostí, jenž oplýval ještě mocnějším kouzlem než ten, jejž mnoho let předtím nosila její matka a tančila v něm. Tímto hávem si přikryla svůj stříbřitě bílý oděv a vzduch kolem ní se v okamžení naplnil kouzelným spánkem. Ze zbytků upletla silné lano, které ovázala kolem kmene stromu uvnitř domku. Tím bylo její dílo skončeno a ona vyhlédla z okna na západ k řece. Slunce již mezi stromy sláblo, a jakmile se les naplnil šerem, začala zpívat velmi něžně a tiše a během zpěvu vyhodila své dlouhé vlasy z okna, aby se jejich dřímotný opar dotýkal hlav a tváří strážných vespod, kteří při poslechu jejího hlasu upadli do tvrdého spánku. Nato Tinúviel, oděna do svého temného hávu, s lehkostí veverky sklouzla po lanu z vlasů a odtančila k mostu, a než jeho strážní stačili vykřiknout, protančila mezi nimi, a jakmile se jich dotkla cípem své černé pláštěnky, usnuli a Tinúviel utekla velmi daleko, tak rychle, co jí jen její tančící nohy stačily.

Když se o útěku Tinúviel doslechl Tinwelint, veliký byl jeho žal smíšený s hněvem a celý jeho dvůr byl na nohou a lesy zněly hlasy hledajících, ale Tinúviel již byla daleko a blížila se k ponurému úpatí Nočních hor. Říká se též, že Dairon, který vyrazil za ní, se dočista ztratil a nikdy nenašel cestu zpět do elfího království, ale skončil v Palisoru, a v lesích a hájích na jihu, tesklivý a sám, dodnes hraje své něžné melodie.

Netrvalo dlouho a při pomyšlení, co si to troufla provést a jaké má vyhlídky, přepadla Tinúviel náhlá hrůza. Na chvíli se obrátila zpět a dala se do pláče. Přála si, aby s ní byl Dairon, a opravdu se říká, že nebyl daleko, ale bloudil mezi velkými borovicemi Nočního lesa, kde později Túrin nešťastnou náhodou zabil Belega.

Blízko byla nyní Tinúviel těmto místům, ale nevstoupila do oněch temných končin. Sebrala znovu odvahu a pokračovala v cestě vpřed. A díky tomu, že oplývala mocnější magií, a díky kouzlu očarování a spánku, které ji provázelo, ji neohrožovala taková nebezpečenství jako prve Berena. I tak to však byla pro dívku zlá a vyčerpávající cesta.

Zde musím zmínit, že Tevildo měl v těch časech na celém světě jediné trápení, a to byl psí druh. Mnozí jeho příslušníci nebyli přáteli ani nepřáteli koček, neboť se stali Melkovými poddanými a byli stejně divocí a krutí jako ostatní jeho zvířata. Z nejdivočejších a nejkrutějších dokonce vypěstoval rasu vlků, kteří mu byli velmi drazí. Nebyl to koneckonců velký šedý vlk Karkaras Ostrotesák, otec vlků, kdo v oněch dnech a dlouho předtím střežil brány Angamandi? Mnozí se však Melkovi neklaněli ani se jej zcela nebáli, ale pobývali buď v lidských příbytcích a chránili je před mnohým zlem, které je jinak postihovalo, či se potulovali po lesích Hisilómë nebo přecházeli hornaté oblasti a někdy dokonce doputovali až do Artanoru a ještě vzdálenějších krajů a dál na jih.

Pokud někdo z nich někdy potkal Tevilda nebo některého z jeho družiníků či poddaných, strhl se mocný štěkot a nastala mohutná honička, a ačkoliv díky kočičím schopnostem lézt do výšek a schovávat se, a také díky Melkově vlivné ochranné ruce, málokdy stálo podobné střetnutí nějakou kočku život, mezi oběma druhy panovalo zaryté nepřátelství a některých těchto psů se kočky velmi obávaly. Tevildo sám se však žádného nebál, protože byl silný jako kterýkoliv z nich a rychlejší a hbitější, s výjimkou Huana, vůdce psů. Huan byt natolik hbitý, že jednou okusil Tevildův kožich, a ačkoliv mu na oplátku Tevildo uštědřil svými velkými drápy škrábanec, ješitnost kočičího knížete byla uražena a on bažil po tom, provést psu Huanovi něco opravdu zlého.

Veliké tedy měla Tinúviel štěstí, že se s Huanem setkala v lese, ačkoliv byla zprvu k smrti vyděšená a dala se na útěk. Huan ji však dvěma skoky předběhl a laskavým a hlubokým hlasem jí v jazyce ztracených elfů řekl, aby se nebála. „Jak to," otázal se pak, „že vidím elfí pannu, a navíc tak krásnou, potulovat se samotnou tak blízko příbytku zlého Ainu? Cožpak nevíš, že toto je velmi zlé místo, maličká, a to i v doprovodu, a osamělí tuláci tu přicházejí o život?"

„Vím to," odpověděla, „a nejsem tu, že bych milovala toulání, hledám jen Berena."

„Co tedy víš," pokračoval Huan, „o Berenovi – míníš-li Berena, syna elfího lovce Egnora bo-Rimion, odnepaměti mého přítele?"

„Ani nevím, zda můj Beren je tvým přítelem, neboť hledám Berena zpoza Hořkých pahorků, jehož jsem poznala v lesích nedaleko domu svého otce. Nyní je pryč a má matka Gwendeling ve své moudrosti praví, že je otrokem v krutém domě kočičího knížete Tevilda. Zda je to pravda, či zda jej postihlo ještě něco horšího, netuším, a přicházím ho nalézt – i když nemám žádný plán."

„S plánem ti pomohu," pravil Huan, „ale musíš mi věřit, neboť jsem pes Huan, Tevildův úhlavní nepřítel. Odpočiň si na chvíli se mnou ve stínech lesa a já se zatím hluboce zamyslím."

Nato Tinúviel učinila, co jí nakázal, a zatímco Huan držel stráž, ona opravdu na dlouhou dobu usnula, neboť byla velmi unavená. Poté, co se probudila, však pravila: „Slyš, dlouho jsem tu zahálela. Vymyslil jsi něco, ó Huane?"

A Huan odpověděl: „Je to temná a obtížná záležitost a nenapadá mne nic jiného než toto. Máš-li k tomu odvahu, vkraď se do příbytku knížete, dokud je slunce vysoko na obloze a Tevildo a většina jeho domácnosti pospává na skalních římsách před jeho branami. Poté jakýmkoliv způsobem, jenž se ti naskytne, zjisti, zda je Beren skutečně uvnitř, jak ti pověděla tvá matka. Já budu ležet v lese nedaleko odtud. Uděláš mi radost a sobě pomůžeš, pokud předstoupíš před Tevilda, a ať již bude Beren uvnitř či nikoliv, povíš mu, že jsi narazila na psa Huana, jak leží nemocný v lese. Neříkej mu směr, ale pokud to půjde, doveď ho sem sama. Poté uvidíš, co jsem pro tebe a Tevilda vymyslil. Jsem si jist, že pokud Tevildovi doneseš takové zprávy, nebude s tebou ve svých síních jednat zle a nepokusí se tě zadržet."

Takto Huan naplánoval jednak ublížit Tevildovi, či ho dokonce zabít, bude-li to možné, a také pomoci Berenovi, neboť věřil, že se opravdu jedná o Berena, syna Egnora, jehož psi z Hisilómë milovali. Zmínka o Gwendeling mu prozradila, že tato panna je princeznou lesních víl, a o to víc jí toužil pomoci a jeho srdce zaplesalo nad její ušlechtilostí.

Nato Tinúviel sebrala odvahu a kradmo vyrazila k Tevildovým síním. Huan, jenž ji v zájmu svého plánu potajmu sledoval, jak nejdále mohl, se nesmírně obdivoval její statečnosti. Po nějaké době mu však zmizela z dohledu, vystoupila z lesního úkrytu a došla do oblasti s vysokou travou posetou keři, která stoupala stále výše až k úbočím kopců. Na kamenité srázy svítilo slunce, ovšem nad vrcholky kopců a horami za nimi visel černý mrak, neboť tam byly Angamandi. Tinúviel pokračovala kupředu s očima sklopenýma, neboť měla strach pohlédnout vzhůru. Jak šla, krajina se zdvihala, tráva řídla a bylo v ní čím dál více kamenů, až se změnila v příkrý útes, na jehož skalnatém vršku čněl Tevildův hrad. Nahoru nevedla žádná stezka, jen k lesu se sráz svažoval ve stupňovitých římsách, takže se k branám nedalo dostat jinak než mohutnými skoky. Navíc čím více se římsy blížily hradu, tím byly strmější. Stavba měla jen málo oken a při zemi nebyla žádná. Brána samotná byla v místech, kde v lidských příbytcích bývají okna horního poschodí. Střecha však měla mnohé široké a ploché prostory otevřené slunci.

Tinúviel zoufale přecházela po nejspodnější římse a bojácně vzhlížela k temné budově na kopci, když v tom za kamenným ohybem spatřila osamoceného kocoura, jak leží na slunci a zdánlivě spí. Když se k němu přiblížila, otevřel jedno žluté oko a mrkl na ni, načež vstal, protáhl se, přikráčel k ní a pravil: „Pryč odsud, maličká – což nevíš, že se nacházíš na výsluní Jeho Výsosti Tevilda a jeho družiníků?"

Tinúviel byla vystrašená k smrti, ale odpověděla, jak nejodvážněji svedla: „To nevím, můj pane." To oslovení starého kocoura nesmírně potěšilo, protože byl ve skutečnosti jen Tevildovým dveřníkem. „Ale požádala bych vaši dobrotivost, aby mne bez prodlení k Tevildovi dovedla – i kdyby třeba spal," dodala nakonec, neboť dveřník užasle švihl ocasem na znamení nesouhlasu.

„Nesu vzkaz bezodkladného významu, který jen určen jen pro jeho uši. Doveďte mne k němu, můj pane," žádala, načež kocour začal tak hlasitě příst, že se odvážila pohladit ho po jeho obrovské ohyzdné hlavě, která byla ještě větší než ta její, větší než hlava jakéhokoliv psa, který nyní žije na zemi. Takto uspokojen, Umuiyan, neboť tak se jmenoval, pravil: „Pojď se mnou." Nato k jejímu nesmírnému zděšení popadl Tinúviel za svršky na ramenou, přehodil si ji přes záda a skočil s ní na druhý stupeň. Tam se zastavil, a když mu Tinúviel slézala ze hřbetu, prohlásil: „Máš štěstí, že dnes odpoledne můj pán Tevildo leží na tomto nízkém stupni, daleko od svého příbytku, neboť jsem unavený a přemáhá mne ospalost, takže se obávám, že dál budeš muset po svých." Tinúviel byla totiž stále oděna v plášti z černého oparu.

Nato Umuiyan mocně zívl a protáhl se, načež zavedl Tinúviel po římse až k prostornému místu, kde na široké lenošce z vyhřátých kamenů ležel rozvalený samotný děsivý Tevildo s oběma zlýma očima zavřenýma. Kočičí dveřník Umuiyan k němu přistoupil a tiše mu řekl do ucha: „Je tu jistá dívka, která si žádá tvou společnost, můj pane. Prý ti nese důležité zprávy a nenechala se odbýt." Nato Tevildo zuřivě švihl ocasem a napůl otevřel jedno oko. „Co chceš? A mluv stručně," pronesl, „neboť toto není doba, kdy by kočičí kníže Tevildo uděloval audience."

„Nehněvej se, pane," odtušila Tinúviel a celá se při tom třásla. „Dobře vím, že není vhodný čas, nicméně jde o věc tak závažnou, že bych ji zde, kde vane větřík, neměla raději ani zašeptat," pravila, načež se jakoby v obavách ohlédla k lesu.

„Odejdi," řekl Tevildo, „páchneš po psech, a co kdy dobrého přinesla kocourovi víla, která se druží se psy?"

„Pane, není překvapením, že jsem cítit po psech, neboť jsem jednomu právě unikla – a vskutku hovořím o mocném psu, jehož jméno znáš." Vtom se Tevildo posadil, otevřel oči, rozhlédl se kolem sebe, třikrát se protáhl, až nakonec poručil kočičímu dveřníkovi, aby zavedl Tinúviel dovnitř, a Umuiyan si ji znovu přehodil přes záda. Tinúviel byla bez sebe strachy, neboť nyní, když dosáhla toho, po čem toužila – tedy příležitosti proniknout do Tevildovy pevnosti a snad se i dozvědět, zda je uvnitř Beren –, neměla další plán a netušila, co s ní bude. Vskutku, pokud by to bylo možné, bývala by se dala na útěk. V onu chvíli však kocouři vyrazili k hradu a Umuiyan s Tinúviel skočil poprvé, potom podruhé a napotřetí zaškobrtl, až Tinúviel strachy vykřikla, načež Tevildo pravil: „Co je s tebou, Umuiyane, ty nemehlo? Pokud tě takto rychle dohání věk, nejspíš bys měl opustit mé služby." Umuiyan však řekl: „Nedohání, pane, ale nevím, co se mnou je. Před očima mám mlhu a hlava mi ztěžkla." Nato se zapotácel, jako by byl opilý, až mu Tinúviel sklouzla ze zad, a svalil se na zem, jako by tvrdě usnul. Tevildo zuřil. Vztekle popadl Tinúviel a nijak jemně ji sám dopravil k branám. Nato s mocným odrazem vskočil dovnitř, nakázal dívce, aby z něj slezla, a vyrazil ze sebe vřískot, jenž se hrozivě odrážel temnými chodbami a průchody. Okamžitě se k němu z nitra hradu seběhli jeho pochopové a několika nakázal, aby seskákali k Umuiyanovi, spoutali ho a svrhli „ze severní stěny útesu, kde je nejstrmější sráz, jelikož už je mi k ničemu," jak pravil, „neboť jej věk připravil o jistotu v nohou". Tinúviel se roztřásla, když slyšela, jak je toto zvíře nemilosrdné. Ale když hovořil, i on sám zíval a potácel se, jako by se o něj náhle pokoušela dřímota. Nakázal, aby Tinúviel odvedli do sálu, kde sedával a hodoval se svými nejvýznačnějšími družiníky. Byl plný kostí a zlověstně páchl; nebyla v něm žádná okna, jen jediné dveře. Z místnosti však vedl stropní otvor do velkých kuchyní, odkud sál mdle osvětlovala slabá rudá záře.

Když ji kocouři zanechali v místnosti, byla Tinúviel tak vyděšená, že chvíli zůstala stát na místě a nebyla schopna pohybu. Brzy však přivykla temnotě, rozhlédla se kolem sebe a spatřila stropní otvor, pod kterým byla široká římsa. Vyskočila na ni, protože římsa nebyla příliš vysoko a Tinúviel byla mrštná elfka. Pohlédla dovnitř, neboť poklop byl pootevřený, a spatřila rozlehlé klenuté kuchyně a veliké ohně, které v nich plály, i ty, již uvnitř neustále dřeli. Většinou se jednalo o kočky, ale hle! – u jednoho ohně se hrbil Beren, celý zašpiněný od té lopoty. Tinúviel se posadila a rozplakala se, ale prozatím neměla odvahu něco

učinit. Vtom se znenadání místností rozburácel Tevildův drsný hlas: „Kam u Melka ta potrhlá elfka jenom zmizela?“ Jakmile to Tinúviel zaslechla, přitiskla se ke stěně, ale Tevildo ji na římse zahlédl a vykřikl: „Dozpíval jsi, ptáčku; slez dolů, jinak si tam pro tebe budu muset dojít, neboť nebudu udělovat elfům audience, aby si ze mě tropili žerty.“

Vtom zčásti ve strachu, zčásti v naději, že její jasný hlas dolehne až k Berenovi, začala Tinúviel nahlas vyprávět svůj příběh, až se její hlas rozléhal po celém sále. „Ticho, děvče,“ okřikl ji Tevildo, „pokud se jedná o tajemství, jež nemohlo být vysloveno venku, nemůžeš ho jenom tak rozkřikovat uvnitř.“ Nato Tinúviel pravila: „Takto se mnou nemluv, ó kocoure, i když jsi pánem koček. Neboť nejsem snad Tinúviel, princezna víl, a nevynaložila jsem pro tvé dobro veliké úsilí?“ Po těchto slovech, která Tinúviel vykřikla ještě hlasitěji než svá předchozí, se z kuchyně ozval hlučný lomoz, jak najednou spadlo několik kovových i hliněných nádob. Tevildo zavrčel: „To je to elfské nemehlo Beren. Kéž by mě takových, jako je on, Melko jednou provždy zbavil.“ Tinúviel si však domyslila, že ji Beren zaslechl a strnul v úžasu, takže odhodila bázeň a více nelitovala své troufalosti. Tevilda však její povýšená slova doháněla k zuřivosti, a kdyby se nechtěl nejprve dozvědět, jaký může mít z jejího vyprávění prospěch, nejspíš by se byl s Tinúviel rovnou zle vypořádal. Vskutku byla od tohoto okamžiku ve velikém ohrožení, neboť Melko a jeho vazalové považovali Tinwelinta a jeho lid za zločince a činilo jim nesmírné potěšení chytat je a následně s nimi krutě nakládat. Tevildo by si tedy u svého pána vysloužil velkou přízeň, kdyby mu Tinúviel přivedl. A od okamžiku, kdy vyslovila své jméno, toto měl také v plánu, jakmile s ní sám bude hotov. Jeho smysly však onoho dne byly jako omámené a dočista zapomněl pátrat po tom, proč Tinúviel sedí na římse pod stropním otvorem; nepřemýšlel ani o Berenovi a plně se soustředil na to, co mu Tinúviel poví. Proto se snažil skrýt svou nevrlost a pravil: „Nehněvej se, paní, a pověz, neboť toto napínání dráždí mou zvědavost – cos mi to chtěla sdělit? Moje uši už se nemůžou dočkat.“

Na to Tinúviel odtušila: „Venku žije veliké zvíře, kruté a krvelačné, a jmenuje se Huan.“ Při zvuku toho jména se Tevildovi nahrbil hřbet, chlupy se naježily a zapraskaly a oči se mu rudě rozžhnuly. „A zdá se mi hanebné,“ pokračovala, „že je takové bestii trpěno, aby otravovala les tak blízko sídlu mocného kočičího knížete, mého pána Tevilda." Tevildo však opáčil: „Nic mu trpěno není a nikdy sem nechodí, leda by se potajmu přikradl."

„Tak či tak," pronesla Tinúviel, „nyní je nedaleko odtud. Domnívám se však, že by mohl být konečně a nadobro zabit. Neboť jak jsem kráčela lesem, spatřila jsem na zemi ležet veliké zvíře a nemocně naříkat – a hle, byl to Huan, jehož sužovalo nějaké zlé kouzlo či choroba. A právě teď bezmocně leží v údolí uprostřed lesa, ani ne míli západně od tohoto hradu. Nejspíš bych s tímto neobtěžovala tvůj sluch, kdyby na mě ta příšera, když jsem se k ní přiblížila a snažila se jí pomoci, nezavrčela a nepokusila se mne kousnout. Myslím, že takový tvor si zasluhuje jen to nejhorší."

Vše toto, co Tinúviel pověděla, byla obrovská lež, kterou jí pomohl vymyslet Huan, neboť panny Eldar nejsou ve lhaní zběhlé; nikdy jsem však neslyšela, že by jí to později někdo z Eldar nebo Beren vyčítal a nemám jí to za zlé ani já, neboť Tevildo byl zlý kocour a Melko byl nejhorší ze všech tvorů a Tinúviel z jejich strany hrozilo smrtelné nebezpečí. Tevildo byl však nesmírně zdatný lhář a natolik se vyznal ve smyšlenkách a úskocích všech zvířat a stvoření, že mnohdy váhal, zda má věřit tomu, co je mu řečeno, a měl ve zvyku pochybovat o všem s výjimkou toho, co si sám přál, aby byla pravda. Proto jej upřímnější tvorové dokázali častěji obelhat. Příběh o Huanově bezmoci jej natolik potěšil, že mu rád uvěřil, a hodlal si jej přinejmenším ověřit; přesto však zprvu předstíral lhostejnost, řka, že kolem takové maličkosti nemusela dělat tolik tajností a mohla mu ji bez okolků klidně sdělit venku. Na to Tinúviel pravila, že kočičí kníže Tevildo přece nejlépe ví, že Huanovy uši dokážou zachytit i ten nejtišší zvuk na míle daleko, zejména pokud se jedná o kočičí hlas.

Nyní Tevildo hodlal předstírat, že historce Tinúviel nevěří, aby od víly získal přesnou informaci, kde by mohl Huana nalézt. Ta mu však dávala jen neurčité odpovědi, neboť v tom spatřovala jedinou možnost, jak se dostat z hradu. Nakonec Tevildo podlehl zvědavosti a s pohrůžkami hrozných věcí, pokud víla lže, k sobě povolal dva své družiníky. Jedním z nich byl Oikeroi, divoký a bojovný kocour. Nato se tito tři společně s Tinúviel vydali na cestu. Tinúviel si ovšem sundala svůj kouzelný černý háv a složila jej tak, že velikostí a tloušťkou nebyl o nic větší než malinký šátek (což pro ni bylo hračkou), aby ji Oikeroi snesl ze skalních říms dolů bez nehody a nepokoušela se o něj přitom únava. Potom se plížili lesem ve směru, který jim udala, a brzy nato Tevildo ucítil psa a jeho ocas se naježil a švihl sebou. Vylezl na vysoký strom a shlédl dolů do údolí, jež jim Tinúviel ukázala. A opravdu – spatřil v něm obrovského Huana, jak leží vyčerpaně na zemi a vyje a kňučí. Nato kocour radostně slezl dolů a ve své nedočkavosti dočista zapomněl na Tinúviel, jež nyní ležela skrytá v kapradinovém porostu a strachovala se o Huana. Tevildo a jeho dva kumpáni plánovali každý z jiné strany tiše vejít do údolí a potom se najednou sesypat na nic netušícího Huana a zabít ho nebo se pobavit tím, že ho budou trýznit, kdyby snad byl příliš oslabený a neschopný boje. Jak zamýšleli, tak učinili, ovšem jakmile vyrazili na Huana, ten s hlasitým štěkotem vyskočil do vzduchu, ohnal se čelistmi a stiskl Oikeroie pod krkem a kocoura usmrtil; druhý z družiníků s vřískotem vyšplhal na vysoký strom, a tak Tevildo zůstal tváří v tvář Huanovi sám. Takové střetnutí nebylo podle gusta kočičího knížete, ale Huan byl příliš rychlý, než aby kocour stihl utéci, a tak se na mýtině strhl lítý boj a Tevildo při něm vydával hrozivé skřeky. Po chvíli ho však Huan chňapl za krk a kocoura to málem stálo život, kdyby nazdařbůh nemáchl pařátem a nezasáhl Huanovo oko. Nato Huan zavyl a Tevildo se za hrůzostrašného vřískání prudkým trhnutím vymanil a stejně jako jeden z jeho společníků vyskočil na vysoký hladký strom poblíž. Navzdory svému bolestivému zranění se Huan pokoušel vyskočit za kocourem a mohutně při tom štěkal, zatímco Tevildo na něj svršku sesílal nadávky a kletby.

Poté Huan zvolal: „Slyš, Tevildo, slova Huana, jehož jsi hodlal chytit a bezmocného zabít jako ohavné myši, které máš ve zvyku lovit – zůstaň na svém osamoceném stromě a vykrvácej ze svých ran, nebo slez dolů a znovu okus mé zuby. Pokud ti ani jedno z toho není po chuti, pověz mi, kde je Tinúviel, princezna víl, a Beren, Egnorův syn, neboť jsou to mí přátelé. Nechť jsou tito dva výkupným za tebe – byť jejich hodnota dalece převyšuje tvou."

„Ta prokletá elfka leží a kňourá tamhle v kapradí, pokud mě neklame sluch," odtušil Tevildo. „A Beren nejspíš touto dobou snáší škrábance od mého kuchaře Miaulëho v kuchyních mého hradu, kde se před hodinou projevil jako naprosté nemehlo."

„Ať jsou mi předáni živí a zdraví," pronesl Huan, „a ty se budeš moci bezpečně vrátit do svých síní a tam si vylízat rány."

„Můj družiník, který je tu se mnou, ti je zajisté přivede," opáčil Tevildo. Na to ale Huan zavrčel: „Jistě, a s nimi celý tvůj kmen a zástupy skřetů a jiné Melkovy sběře. Ne, nejsem hlupák. Místo toho dáš Tinúviel znamení a ona Berena přivede, nebo, pokud se ti to nelíbí, zůstaneš, kde jsi." Tevildo byl nucen shodit svůj zlatý obojek – znamení, které by si žádná kočka nedovolila nectít, ale Huan prohlásil: „Ne, to nestačí, protože po tomto by se tě tví lidé vydali hledat." Toho si byl Tevildo vědom a také v to doufal. Nakonec však pyšného kocoura, knížete v Melkových službách, přemohla únava, hlad a strach, a vyjevil kočičí tajemství – kouzlo, jež mu Melko svěřil. Byla to magická slova, díky nimž držely pospolu kameny jeho domu zla, jejichž zásluhou držel moc nad všemi svými kočičími poddanými a díky nimž oplývaly Tevildovy kočky zlou silou, která převyšovala jejich přirozené schopnosti. Dlouho se o Tevildovi říkalo, že je zlým duchem v těle zvířete, a tak když ona slova vyřkl, Huan se dal do smíchu, který se rozléhal po celém lese, neboť věděl, že dny kočičí moci jsou sečteny.

Tinúviel s Tevildovým zlatým obojkem doběhla k nejnižší skalní římse pod branami do jeho hradu, zastavila se a svým jasným hlasem kouzlo vyslovila. Vzduch najednou zaplnily kočičí hlasy a Tevildův dům se začal otřásat; a zevnitř vyběhl zástup jeho obyvatel, kteří byli zmenšení na drobná zvířátka, jež měla z Tinúviel hrůzu. Ta před nimi mávala Tevildovým obojkem a odříkávala slova, jež odposlechla z Tevildova a Huanova rozhovoru, a kočky se choulily a krčily. I pravila: „Slyšte, nechť všichni z národa elfů i lidských dětí, již jsou vězněni v tomto domě, vyjdou ven." A hle, vtom se objevil Beren. Žádní další otroci však nevyšli, s výjimkou Gimliho, starého Gnóma, jemuž poroba zkřivila záda a jenž během svého uvěznění přišel o zrak, ale jehož sluch byl podle všech zpěvů nejostřejší na celém světě. Gimli se opíral o hůl a Beren mu pomáhal, i když byl sám oděný v hadrech a vychrtlý. V ruce Beren svíral veliký nůž, který popadl v kuchyni, jelikož když se stavení roztřáslo a rozezněly se všechny ty kočičí hlasy, obával se čehosi zlého. Když však spatřil Tinúviel, jak stojí uprostřed zástupu koček, které před ní couvaly, a v její ruce uviděl Tevildův veliký obojek, strnul údivem a nevěděl, co si má myslet. Tinúviel však byla bez sebe štěstím a pravila: „Ó Berene zpoza Hořkých pahorků, zatančíš si nyní se mnou? Ať to však není zde." I odvedla Berena daleko a všechny kočky se jaly kvílet a naříkat, až to v lese uslyšeli Huan a Tevildo. Nikdo však ty dva nepronásledoval ani na ně nedotíral, neboť se všichni báli a pozbyli Melkova kouzla.

Později toho však litovali, když se Tevildo navrátil domů i se svým roztřeseným druhem, neboť Tevildo byl rozpálený vzteky, švihal ocasem a uštědřoval rány všem, kdo stáli poblíž. Když se totiž Beren a Tinúviel vrátili na lesní mýtinu, nechal pes Huan, ač by se to mohlo jevit jako pošetilost, onoho zlého knížete bez dalšího boje odejít. Jeho zlatý obojek si však sám nasadil na krk, což Tevilda přivádělo k zuřivosti ze všeho nejvíc, neboť v onom pásku dlelo veliké kouzlo propůjčující svému nositeli sílu a moc. Ani Huanovi se nijak nezamlouvalo, že Tevildo bude dál žít, ale nyní se již nemusel koček obávat a tento kmen již vždy poté před psy prchal a od Tevildova ponížení v lesích poblíž Angamandi jím psi jen opovrhovali; byl to ten nejvýznamnější počin, jenž se Huanovi kdy podařil. A vskutku později, kdy se Melko o všem, co se stalo, doslechl a proklel Tevilda a jeho lid a všechny je vyhostil, neměly kočky již nikdy žádného pána ani přítele a jejich hlasy jsou jen prskáním a vřískáním, neboť jejich srdce jsou nesmírně osamocená, zahořklá a naplněná zklamáním, a je v nich pouze temnota a ani špetka laskavosti.

V době však, o níž vypráví tato pověst, Tevildo netoužil po ničem víc než znovu chytit Berena a Tinúviel a zabít Huana, aby znovu získal kouzlo, o něž přišel, neboť se nesmírně obával Melka a neodvažoval se svého pána žádat o pomoc a přiznat tím svou porážku a vyzrazení svého kouzla. O tom však Huan nevěděl a sám se oněch míst obával a měl veliký strach, že vše toto brzy doputuje k Melkovým uším, jako ostatně většina věcí, k nimž na tomto světě docházelo; a tak se Tinúviel a Beren spolu s Huanem odebrali na dalekou pouť a velmi se s ním spřátelili. Beren během této doby znovu nabyl na síle, následky jeho zotročení opadly a Tinúviel jej milovala.

Avšak život, který vedli v oněch dnech, byl drsný, divoký a osamělý, neboť nikdy nezahlédli žádného elfa ani člověka a Tinúviel se časem začalo tuze stýskat po její matce Gwendeling a sladce čarovných písních, jež zpívala svým dětem, když na les v okolí jejich starodávných síní padal soumrak. Často mívala dojem, že slyší flétnu svého bratra Dairona na malebných mýtinách, kde přebývali, a srdce jí ztěžklo. Po delší době tedy pravila Berenovi a Huanovi: „Musím se vrátit domů." V tu chvíli se Berenovo srdce zasmušilo, neboť tento život v lese se psy (k Huanovi se totiž připojili mnozí další) miloval – ne však bez Tinúviel.

Přesto však řekl: „Nikdy se s tebou nemohu do Artanoru vrátit, ani se tam za tebou nebudu moci nikdy vypravit, sladká Tinúviel, pokud nebudu mít silmaril; a ten nikdy nezískám, neboť jsem uprchl z Melkových síní, a pokud mne nějaký jeho sluha spatří, hrozí mi to nejstrašnější utrpení." Toto pravil se smutkem v srdci nad loučením s Tinúviel a i ona byla rozpolcena, neboť nedokázala snést ani myšlenku, že by Berena opustila, ale ani že by žila takto ve vyhnanství. A tak dlouhou dobu smutně seděla, aniž by pronesla jediné slovo, až se vedle ní Beren posadil a po chvíli řekl: „Tinúviel, zbývá nám jediné – musíme získat silmaril." Nato Tinúviel vyhledala Huana a požádala jej o radu a o pomoc. Ten se však velmi zasmušil a v tomto podniku neviděl než bláznovství. Nakonec si od něj vyprosila kůži Oikeroie, jehož zabil při boji v lesním údolí. Oikeroi byl velmi mohutný kocour a Huan si jeho kůži nechal jako trofej.

I použila Tinúviel svých schopností a vílích kouzel a zašila Berena do této kůže tak, aby vypadal jako velký kocour. Poté ho naučila, jak sedět, jak se natáhnout, jak vykračovat, skákat a běhat jako kočka, až se při pohledu na něj zježily Huanovi chlupy, nad čímž se Beren a Tinúviel rozesmáli. Beren se však nedokázal naučit vřískat, skučet či příst jako jakákoliv kočka, která kdy chodila po světě, a Tinúviel nedokázala probudit v mrtvých očích stažené kůže kočičí lesk. „S tím se musíme smířit," pravila Tinúviel. „Působíš jako vznešený kocour, pokud jen udržíš jazyk za zuby."

Nato se s Huanem rozloučili a vydali se k Melkovým síním. Putovali snadno schůdnými stezkami, neboť Beren se v Oikeroiově kůži cítil velmi nepohodlně a bylo mu v ní horko. Tinúviel byla na okamžik radostná jako již dlouho ne a hladila Berena nebo ho tahala za ocas a Beren se zlobil, že jím nedokáže v odpověď prudce mrsknout, jak by si přál. Po nějaké době se přiblížili k Angamandi, jak jim napovědělo dunění, hluboké burácení a mocné řinčení deseti tisíc kovářů, kteří tvrdě bez ustání pracovali. Byli kousek od smutných míst, kde se zotročení Noldoli trpce lopotili pod horskými skřítky a skřety; okolní temnota byla tak hustá a ponurá, až jim ztěžkla srdce, a Tinúviel se znovu oděla do temného hávu hlubokého spánku. Brány Angamandi byly z ohavně tepaného železa, osázené bodci a čepelemi, a před nimi ležel největší vlk, jaký kdy spatřil světlo světa, samotný Karkaras Ostrotesák, jenž nikdy nespal. Jakmile Karkaras spatřil blížící se Tinúviel, zavrčel. Kocourovi ale příliš pozornosti nevěnoval, neboť kočky nepovažoval za důležité a nějaké neustále vcházely dovnitř nebo vycházely ven.

„Ustaň, ó Karkarasi," pravila Tinúviel, „neboť přicházím za svým pánem Melkem a tento Tevildův družiník mi dělá doprovod." Její temný háv zcela halil její zářnou krásu, a ač Karkarase nijak zvlášť neznepokojovala, přistoupil blíže, jak bylo jeho zvykem, aby nasál její pach a s ním i sladkou vůni Eldar, již žádný háv nedokázal skrýt. Nato se Tinúviel okamžitě dala do kouzelného tance a přehodila vlkovi přes oči černé cípy svého temného pláště, načež se jeho nohy mátožně rozklepaly, převalil se a usnul. Tinúviel však tančila dál, dokud se vlk neponořil hluboko do snů o velkých honičkách v lese Hisilómë, když byl ještě štěně. Nato s Berenem vkročili do černé brány a dlouho klopýtali po mnoha stinných chodbách, až konečně stanuli před samotným Melkem.

V oné tmě se mohl Beren bez potíží vydávat za Tevildova družiníka; Oikeroi býval vskutku často přítomen v Melkových síních, a tak mu nikdo nevěnoval pozornost. Aniž by vzbudil podezření, podařilo se mu proklouznout až pod trůn hrozivého Ainu; avšak zmije a další zlá stvoření, která tam ležela, v něm vyvolaly takovou hrůzu, že se neodvážil ani pohnout.

Měli ohromné štěstí, neboť kdyby byl býval Tevildo s Melkem, byl by jejich úskok prozrazen – a opravdu se tohoto nebezpečí strachovali, neboť netušili, že Tevildo tou dobou seděl ve svých síních, nevěda, co si počne, když se zprávy o jeho porážce donesou do Angamandi; Melko však spatřil Tinúviel a pravil: „Kdo jsi, jež proplouváš mými síněmi jako netopýr? Jak ses dostala dovnitř, neboť sem dozajista nepatříš?"

„Ne, prozatím vskutku nikoliv," odtušila Tinúviel, „avšak mohla bych, budeš-li té dobroty, můj pane Melko. Cožpak nevíš, že jsem Tinúviel, dcera zločince Tinwelinta, jenž mne vyhostil ze svých síní, jelikož je to panovačný elf, a má láska se neřídí jeho příkazy?"

Melko byl vpravdě ohromen, že Tinwelintova dcera přišla takto dobrovolně do jeho příbytku, strašlivých Angamandi, a očekávaje nějakou nepravost se jí otázal, čeho si žádá, „neboť to nevíš," pravil, „že zde tvého otce ani tvůj národ nechováme v lásce a ani ode mne nemůžeš očekávat vlídné slovo či povzbuzení?"

„To mi pravil i můj otec," odvětila, „ale proč bych mu měla věřit? Hle, dokážu dovedně tančit a zatančím ti, můj pane, a mám za to, že bys mi pak mohl poskytnout skrovný koutek ve svých síních, kde bych přebývala do doby, než bys povolal malou tanečnici Tinúviel, aby rozptýlila tvé chmury."

„Ne," opáčil Melko, „něco takového je příliš malé pro mou mysl; ale jelikož jsi ušla tak dalekou cestu, abys zatančila, zatanči mi a poté se uvidí," a vrhl na ni potměšilý pohled, jak jeho temná mysl spřádala cosi zlého.

Načež se Tinúviel pustila do tance, který předtím ani potom žádný jiný duch či víla ani elf nezatančili, a po chvíli na ni dokonce i Melko hleděl v úžasu. Poletovala po sále, hbitá jako vlaštovka, tichá jako netopýr a čarovně krásná, jak mohla být jen ona. Tu byla po Melkově boku, tu stála před ním, tu za ním, a její mlžné sukno se mu otíralo o tvář a vlálo mu před očima a přítomné sedící při zdi i ty, kteří tam stáli, jednoho po druhém přemáhal spánek a upadali do hlubokého snu plného všeho, čeho si jejich zlá srdce žádala.

Zmije pod Melkovým křeslem ležely jako kameny, vlci mu před nohama zívali a podřimovali a Melko dál okouzleně zíral, ale neusnul. Nato mu Tinúviel začala tančit před očima ještě hbitěji a během toho zpívala velmi tichým a podivuhodným hlasem píseň, kterou ji kdysi dávno naučila Gwendeling – píseň, již zpívají mladíci a panny pod cypřiši v Lórienových zahradách, když Zlatý strom pohasne a Silpion září. Byly v ní hlasy slavíků, a když se našlapovala zlehka jako pírko nesené větrem, vzduch toho hlučného místa jako by plnily jemné vůně. Nikdy na tom místě nikdo neviděl ani neslyšel něco tak překrásného a při vší své moci a majestátu Ainu Melko podlehl kouzlu oné elfky; vskutku, i Lórienova víčka, kdyby byl přítomen, by byla ztěžkla. Poté se zmámený Melko převalil dopředu a na podlaze pod svým křeslem konečně upadl do hlubokého spánku a jeho železná koruna se mu skutálela z hlavy.

Vtom Tinúviel ustala. V síni nebyl slyšet žádný zvuk, vyjma dechu dřímajících. I Beren spal přímo pod Melkovým křeslem, ale Tinúviel s ním zatřásla, až se probudil. Nato roztřesený strachy roztrhl vedví svůj převlek a vysvobodiv se vyskočil na nohy. Nyní vytáhl nůž, který vzal v Tevildových kuchyních, uchopil mocnou železnou korunu, ale Tinúviel s ní nedokázala pohnout a Berenovy svaly taktak stačily na to, aby ji převalily. A když se Beren v oné temné síni plné spícího zla pokoušel co možná nejtišeji vypáčit nožem z koruny silmaril, strach je doháněl k šílenství. Konečně uvolnil velký klenot uprostřed; z čela mu stékaly krůpěje potu. Když však kámen z koruny vyloupl, nůž se mu s hlasitým prasknutím zlomil.

Tinúviel zdusila výkřik a Beren uskočil se silmarilem v ruce. Spáči se ošili a Melko zamručel, jako by mu snění narušily jakési zlé myšlenky, a na spící tváři se mu objevil temný výraz. Spokojena s tímto jedním lesklým kamenem dvojice zoufale vyběhla se sálu, divoce klopýtala mnoha tmavými chodbami, až se před nimi vynořilo šedivé světlo a oni věděli, že se blíží k branám – však hle! Na prahu ležel Karkaras, znovu vzhůru a na pozoru.

Beren se okamžitě vrhl před Tinúviel, i když jej od toho zrazovala. To se v posledku ukázalo jako chyba, neboť Tinúviel tak neměla možnost na zvíře znovu seslat uspávací kouzlo. Vlk uviděl Berena, vycenil zuby a zlostně zavrčel. „Pročpak ta rozmrzelost, Karkarasi?" otázala se Tinúviel. „Pročpak má tento Gnóm, jenž nevstoupil dovnitř, nyní tolik naspěch?" pravil Ostrotesák, načež skočil na Berena, jenž vlka udeřil pěstí přímo mezi oči a druhou rukou mu sáhl po hrdle.

Karkaras tuto ruku zachytil svými hrozivými čelistmi. Byla to ruka, v níž Beren svíral zářivý silmaril, a Karkaras ruku i s drahokamem ukousl, načež obojí zmizelo v jeho rudém chřtánu. Berena se zmocnila obrovská bolest a Tinúviel zachvátil nesmírný strach, ovšem právě když oba očekávali, že pocítí vlčí zuby, stalo se cosi nečekaného, zvláštního a děsivého. Vězte nyní, že silmaril přirozeně žhne skrytým bílým ohněm a oplývá silným a posvátným kouzlem – nepocházel snad z Valinoru a blažených říší, stvořený kouzly bohů a Gnómů, než v ta místa přišlo zlo? Jako takový kámen nesnesl dotyk zlého masa či nehodné ruky. A tak když se ocitl ve špinavém Karkarasově těle, v tu ránu začala zvíře spalovat hrozivá bolest a jeho trýznivé vytí se hrozivě odráželo v kamenných chodbách tak, že se všichni spáči u dvora probudili. Nato Tinúviel s Berenem vyrazili jako vítr od bran, ale Karkaras byl daleko před nimi a běsnil a šílel jako zvíře pronásledované balrogy. Jakmile se mohli zastavit a popadnout dech, Tinúviel zalila zmrzačenou Berenovu ruku slzami a mnohokrát ji políbila, až, hle, ruka přestala krvácet, bolest v ní polevila a zacelila se něžným lékem lásky Tinúviel. Přesto byl však Beren již navěky všemi nazýván Ermabwed, totiž Jednoruký, v jazyce Osamělého ostrova Elmavoitë.

Poté musili přemýšlet, jak uniknout – budou-li mít to štěstí. I přehodila Tinúviel část své temné pláštěnky přes Berena, a tak, když po nějakou dobu v šeru a ve tmě kličkovali mezi horami, zůstávali nespatřeni, ač na ně Melko poštval všechny své hrozivé skřety; jeho vztek nad krádeží kamene byl větší, než kdy předtím elfové poznali.

Přesto však brzy pocítili, že se kolem nich síť lovců stále pevněji stahuje, a ačkoliv dosáhli okraje známějších hájů a podařilo se jim přejít temný les Taurfuin, od Tinwelintových jeskyní je stále dělilo mnoho mil plných nebezpečenství, a i kdyby se jim tam podařilo dojít, nejspíš by jen přenesli štvanici proti sobě tam a Melkův hněv by se snesl na veškeré lesní obyvatelstvo. Nastalo takové pozdvižení, že se o něm v dálce dozvěděl i Huan a velmi žasl nad odvahou oněch dvou a ještě více, že se jim podařilo uniknout z Angamandi.

S mnoha psy tehdy obcházel les a lovil skřety a Tevildovy družiníky a utrpěl při tom mnohá zranění a mnoho jich buď zabil, nebo vyděsil a zahnal na útěk, až ho jednoho večera za soumraku Valar přivedli na mýtinu v severní oblasti Artanoru, jíž později říkali Nan Dumgorthin, tedy kraj temných bůžků, ale na tom v našem příběhu nezáleží. Tak či tak to byl i tehdy temný, ponurý a zlověstný kraj a pod klenbou jeho stromů se plížil strach, který nebyl o nic menší než ten v Taurfuinu. A tito dva elfové, Tinúviel a Beren, tam leželi unavení a bez naděje a Tinúviel plakala a Beren prstem přejížděl po noži.

Když je Huan spatřil, nenechal si povědět, co vše je potkalo, ale rovnou si hodil Tinúviel na svá mohutná záda a vybídl Berena, aby vedle něj běžel, jak nejrychleji dovede, „neboť," pravil, „se sem rychle blíží velká tlupa skřetů a jako průzkumníky a stopaře s sebou mají vlky". Huanova smečka běžela kolem nich a společně velmi rychle postupovali tajnými zkratkami ke vzdálenému domovu Tinwelintova lidu. Takto se sice vyhnuli zástupu svých nepřátel, ale i tak se později mnohokrát střetli s potulujícími se nebezpečnými tvory a Beren zabil jednoho skřeta, který se málem zmocnil Tinúviel, takže šlo o záslužný čin. Když poznali, že jsou jim lovci znovu v patách, Huan je opět navedl na křivolaké stezky a neodvažoval se je brát do království lesních elfů přímou cestou. Jeho vedení bylo však tak vychytralé, že po mnoha dnech konečně nechali lovce daleko za zády a po tlupách skřetů nebylo ani památky; nikde na ně nečíhali skřeti a nočním vzduchem se nešířilo vytí zlých vlků, což bylo nejspíš díky tomu, že již vkročili do Gwendelinzina magického kruhu, který ukrývá cesty před zlem a chrání lesní elfy před újmou.

Tehdy Tinúviel dýchala svobodně jako nikdy od chvíle, co utekla z otcových síní, a Beren odpočíval na slunci daleko od temnot Angbandu, až z něj vyprchaly poslední hořké pozůstatky po jeho otroctví. Díky světlu, jež prostupovalo zelenými listy, šepotu čistých vánků a písni ptáků se dočista přestali bát.

Nakonec však nastal den, kdy se Beren probudil z hluboké dřímoty, a jako někdo, kdo právě procitl ze sna o přesladké budoucnosti, vyskočil a pravil: „Sbohem, ó Huane, nejvěrnější společníku, i tobě, malá Tinúviel, jíž nade vše miluji, ať se dobře daří. Žádám tě jen o jedno: odeber se nyní do bezpečí svého domova a dobrý Huan ať tě doprovodí. Věz, že já se však musím uchýlit do samoty v lese, neboť jsem ztratil silmaril, který jsem měl, a nikdy se již neodvážím přiblížit k Angamandi, takže již nikdy nevstoupím do Tinwelintových síní." Nato se tiše rozeštkal, ale Tinúviel, jež stála kousek od něj a vyslechla jeho úvahy, přistoupila ještě blíž a pravila: „Ne, rozmyslila jsem se, a pokud budeš přebývat v lese, ó Berene Ermabwede, hodlám tam být i já. A pokud se budeš toulat pustou krajinou, budu se toulat též, ať už s tebou či za tebou – a již nikdy mne můj otec neuvidí, jen pokud mne za ním vezmeš ty." Berena její sladká slova těšila a nesmírně rád by s ní žil jako lovec v divočině, ale nakonec mu jeho srdce připomnělo, co všechno pro něj Tinúviel vytrpěla, a nedbal už na svou hrdost. A domlouvala mu, že není moudré být zatvrzelý a že by její otec jistě rád viděl svou dceru živou a zdravou – „a možná," pravila, „bude cítit stud za to, že kvůli jeho žertu tvá spanilá ruka skončila v Karkarasových čelistech". Prosila také Huana, aby se s nimi na čas vrátil, neboť „můj otec ti dluží velikou odměnu, ó Huane," prohlásila, „pokud svou dceru alespoň trochu miluje".

A tak se tito tři spolu opět vydali na cestu a nakonec přišli zpět do lesů, jež Tinúviel znala a milovala, a ocitli se poblíž domova jejího národa a hlubokých síní jejího otce. Cestou však spatřili u tohoto lidu dlouhá léta neviděný strach a neklid, a tak se některých, kteří plakali před svými dveřmi, optali, co se přihodilo, a dozvěděli se, že co Tinúviel potajmu utekla, postihlo je neštěstí. Král, zkroušený smutkem, polevil ve své staré obezřetnosti a důvtipu; své bojovníky posílal sem a tam, hluboko do nehostinných lesů, aby pannu našli, a mnozí z nich byli zabiti nebo se navždy ztratili. A vypukla válka s Melkovými přisluhovači po celé severní a východní hranici země, takže se všichni báli, že je onen Ainu svou silou všechny rozdrtí; a Gwendelinzina kouzla již nemají takovou moc, aby zadržela takové množství skřetů. „Slyšte," pravili, „prožíváme nejtěžší časy, neboť dlouho již královna Gwendeling nepřítomně sedí a neusměje se ani nepromluví, unavenýma očima hledí jakoby do veliké dáli a pavučina jejích kouzel obestírající naše lesy zeslábla a lesy jsou chmurné, protože Dairon se nevrátil a na mýtinách již nezní jeho hudba. A slyšte, co je na našem zlém údělu nejstrašnější. Ze síní zla k nám vtrhl velký šedý vlk posedlý zlým duchem a chová se, jako by ho pohánělo jakési skryté šílenství, a nikdo před ním není v bezpečí. Pobíhá po lese a divoce kolem sebe chňape a vrčí a zabil už mnoho elfů, a tak ze břehů potoka, který proudí před královským sídlem, se stalo nebezpečné zákoutí. Onen hrozivý vlk tam totiž často chodí pít a se svýma krvavýma očima a plandavým jazykem vypadá jako samotný vládce zla a nikdy nemůže ukojit svou touhu po vodě, jako by jej stravoval nějaký vnitřní oheň."

Tinúviel byla nesmírně zarmoucena osudem, který stihl její lid, a ze všeho nejvíc její srdce trápilo, co se dozvěděla o Daironovi, jelikož o ničem z toho neměla tušení. Ani tak však nelitovala, že Beren zavítal do kraje Artanor, a společně spěchali za Tinwelintem. Lesním elfům již nyní připadalo, že poté, co se k nim vrátila Tinúviel živá a zdravá, musí nastat konec zla. V něco takového již ani nedoufali.

Krále Tinwelinta nalezli nesmírně zachmuřeného, avšak jakmile Tinúviel vstoupila do síně, odhodila pláštěnku z temné mlhy a stanula před ním ve své staré perlové záři, jeho smutek se rozpustil v slzy štěstí a Gwendeling se znovu radostně rozezpívala. Na chvíli ovládly síň úžas a veselí, ovšem poté král stočil zrak k Berenovi a pravil: „Takže ty ses také vrátil – a jistě jsi s sebou přinesl silmaril jako náhradu za veškeré zlo, jež jsi mé zemi způsobil; pokud nikoliv, nevím, nač tu jsi."

Nato Tinúviel dupla nohou a vykřikla tak hlasitě, až král a všichni kolem něj nad její novou nebojácností užasli: „Hanba ti, otče – hle, zde stojí chrabrý Beren, jehož tvé žerty přivedly do temných míst a krutého zajetí a jehož pouze Valar zachránili před hořkou smrtí. Mám pocit, že by se na krále Eldar slušelo spíše ho odměnit než mu zlořečit."

„Ne," pronesl Beren, „tvůj otec král má pravdu." Načež řekl: „Pane, právě nyní svírám silmaril v ruce."

„Ukaž mi ho tedy," opáčil udivený král.

„To nemohu," odtušil Beren, „neboť má ruka je jinde." To řekl a pozvedl zmrzačenou paži.

Berenovo nebojácné a uctivé vystupování královo srdce poněkud obměkčilo a král vybídl Berena a Tinúviel, aby mu sdělili, co se jim oběma přihodilo, a pozorně naslouchal, neboť plně nechápal význam Berenových slov. Když si však vše vyslechl, získal si Beren jeho srdce ještě více a král žasl nad láskou, jež se probudila v srdci jeho dcery a díky níž Tinúviel vykonala větší a smělejší činy než kterýkoliv válečník jeho národa.

„Ó Berene," pravil Tinwelint, „žádám tě, abys již nikdy neopouštěl tento dvůr a navždy zůstal po boku Tinúviel, neboť jsi veliký elf a tvé jméno bude povždy ctěno našimi soukmenovci." Beren mu však s hrdostí odpověděl: „Nikoliv, ó králi. Dodržím své slovo i tvé a donesu ti silmaril, jinak nemohu v klidu přebývat v tvých síních." I naléhal král, aby se znovu nevydával do temných a neznámých krajů, ale Beren mu odvětil: „Toho nebude zapotřebí, neboť věz, že onen klenot je právě nyní nedaleko tvých jeskyní." Nato Tinwelintovi vysvětlil, že divé zvíře, jež sužuje jeho kraj, není nikdo jiný než Karkaras, vlčí strážný od Melkových bran – ne všichni to totiž věděli, ale Beren ano, jelikož mu to sdělil Huan, nejzdatnější stopař ze všech psů, kteří jsou jinak znamenití všichni. Huan byl s Berenem v králově síni, a když ti dva hovořili o štvanici a velikém honu, prosil, aby se mohl připojit, a tomuto přání bylo s radostí vyhověno. Nato se tito tři nachystali ono zvíře dopadnout a zahubit, aby již nemohlo děsit obyvatele lesa a aby Beren dodržel slovo a přinesl silmaril, jenž by znovu zářil v elfím království. Štvanici vedl sám král Tinwelint, po jeho boku stál Beren a těžkoruký Mablung, velitel králových družiníků, vyskočil a popadl kopí – mocnou zbraň, ukořistěnou v bitvě se vzdálenými skřety – a s těmito třemi vykročil Huan, nejmocnější z psů. Král si nepřál, aby se k nim přidali ostatní, řka: „Čtyři budou na zabití vlka stačit, i kdyby byl třeba z pekla." Jenom ti však, kteří Karkarase znali, věděli, jak strašlivé zvíře to je, velké téměř jako koně, na nichž jezdí lidé, a jeho dech byl tak horký, že sežehl vše, čeho se dotkl. Vyrazili s východem slunce a brzy Huan vyčenichal čerstvou stopu vedle potoka, nedaleko bran králova sídla, „a", pravil, „toto je otisk Karkarase". Poté šli celý den podél břehu a na mnoha místech našli čerstvě udusanou či vytrhanou trávu a voda v okolních jezírkách byla zašpiněná, jako by v ní před nedávnem běsnil a válel se nějaký tvor posedlý šílenstvím.

Slunce klesalo a ztrácelo se za západními stromy a z Hisilómë se do lesů vkrádala tma, aby zadusila světlo v nich. I dorazili na místo, kde se stopy buď stočily od proudu, nebo snad zmizely ve vodě a Huan je již nemohl sledovat; tam tedy rozbili tábor a střídali se ve spánku u potoka, až soumrak přešel v tmavou noc.

Během Berenovy hlídky se náhle v dálce ozval hrůzostrašný zvuk – vytí jakoby sedmdesáti posedlých vlků –, načež hle, uslyšel praskání mlází a lámaní stromků, jak se ona hrůza blížila, a Beren věděl, že jejich směrem míří Karkaras. Sotva stačil vzbudit ostatní a ti ještě v polospánku taktak vstali, když se v mihotavém světle měsíce, které na to místo pronikalo, vynořila ohromná postava, jež jako šílená upalovala k vodě. Nato se Huan rozštěkal a bestie vzápětí změnila směr přímo k nim a z čelistí jí kapala pěna a oči jí rudě žhnuly a tvář jí křivila směsice hrůzy a vzteku. Nestačil ani vyběhnout zpoza stromů, když proti němu nebojácně vyrazil Huan. Bestie však mocným skokem velkého psa přeskočila, neboť všechna její zlost nyní směřovala k Berenovi, jehož poznala stojícího v pozadí a jenž byl v její temné mysli zdrojem veškerého jejího utrpení. Nato Beren pohotově vymrštil kopí a zabodl je vlkovi do krku a Huan znovu vyskočil a popadl jej za zadní tlapu, načež Karkaras spadl jako kámen, neboť ve stejnou chvíli královo kopí nalezlo jeho srdce a vlkův zlý duch se vyvalil ven a za slabého vytí se rozletěl nad temné pahorky za Mandosem; Beren však zůstal ležet pod ním a drtila ho nesmírná váha vlčího těla. Ostatní z něj mrtvolu odvalili a jali se ji párat, jen Huan lízal Berenovu tvář na místech, odkud mu tekla krev. Zakrátko se ukázalo, že Beren měl pravdu, neboť vlkovy útroby byly zpola strávené, jako by v jeho těle dlouho doutnal vnitřní oheň, a jak Mablung vytáhl silmaril, noc zaplavil neobyčejný svit, protknutý pronikavými, tajemnými barvami. Nato Mablung natáhl ruku a pronesl: „Zde, ó králi!" Avšak Tinwelint opáčil: „Ne, nikdy jej nevezmu do ruky, pokud mi jej nedá Beren." Huan však dodal: „K tomu nejspíš nikdy nedojde, pokud se o něj rychle nepostaráte, neboť mám za to, že je těžce raněn." A Mablung a král se zastyděli.

Šetrně Berena zvedli ze země, ošetřili jej a omyli. Dýchal, ale nepromluvil ani neotevřel oči, a když vyšlo slunce a oni si trochu odpočinuli, vzali ho co možná nejopatrněji na nosítka z větví a vyrazili s ním zpět lesem; a bezmála o poledni se nesmírně unaveni znovu přiblížili k domovům elfů a Beren se ani nepohnul ani nepromluvil, jen třikrát zasténal.

Jakmile se roznesla zpráva o jejich příchodu, všichni se seběhli, aby je přivítali. Někteří přinesli maso a chladivé nápoje, masti a léčivé přípravky na rány a až na lítost nad zraněními, která Beren utrpěl, se všichni nesmírně radovali. Nosítka z větví a listí, na kterých ležel, přikryli lehkým rouchem a odnesli jej do králových síní, kde na ně plna úzkosti čekala Tinúviel. Vrhla se Berenovi na hruď a plakala a líbala ho, načež se probudil a poznal ji a poté, co mu Mablung podal silmaril, pozvedl kámen nad hlavu a žasl nad jeho krásou, až nakonec pomalu a bolestně pravil: „Zde, ó králi, dávám ti zázračný klenot, jehož si žádáš a který je jen cetkou, jež se válela u cesty, protože jsi měl klenot nevýslovně krásnější, a ten nyní patří mně." Jakmile to dořekl, tvář mu zahalily Mandosovy stíny a jeho duch se v tu hodinu rozlétl k okraji světa a ani něžné polibky Tinúviel jej nedokázaly přivolat zpět.

*

[Zde Vëannë náhle přerušila svou řeč a rozeštkala se a po chvíli pravila: „Ne, to není celý příběh, ale zde končí to, co bezpečně vím." V rozhovoru, jenž následoval, jistý Ausir řekl: „Já jsem slyšel, že kouzlo Tinúvieliných něžných polibků Berena vyléčilo a povolalo jeho ducha od Mandosových bran zpět a že Beren poté dlouho pobýval mezi ztracenými elfy..."]

Jiná však pravila: „Ne, tak to nebylo, ó Ausire, a pokud budeš poslouchat, povím ti pravdivý a úžasný příběh; neboť Beren zemřel v Tinúvielině náručí, jak pravila Vëannë, a Tinúviel, zdrcena žalem, nedokázala na celém světě nalézt útěchu ani světlo a brzy jej po oněch temných cestách, kudy každý musíme kráčet sám, následovala. Její krása a něžná vlídnost však obměkčila dokonce i Mandosovo chladné srdce, takže jí povolil vyvést Berena znovu na svět, což od té doby nebylo dovoleno žádnému člověku ani elfovi, a koluje mnoho písní a příběhů o jejích prosbách před Mandosovým trůnem, které jsem již napůl zapomněla. Mandos však oněm dvěma pravil: ‚Slyšte, elfové, nevypouštím vás do života dokonalé radosti, protože nic takového ve světě, kde sedí Melko se svým zlým srdcem, již neexistuje – a vězte, že budete smrtelní jako lidé, a až sem znovu dojdete, bude to již navždy, jedině by vás bohové povolali do Valinoru.' Nato dvojice odešla ruku v ruce a putovali spolu severními lesy a mnohokrát byli spatřeni, jak tančí na svazích pahorků kouzelné tance, a jejich jména vešla ve známost široko daleko."

[Nato Vëannë pravila:] „Ba, a dělali mnohem víc, než jen tančili, neboť jejich pozdější skutky byly nesmírně velké a traduje se o nich mnoho příběhů, jež musíš slyšet, ó Eriole Melinone, až si budeme vyprávět příště. Neboť tito dva se v příbězích nazývají i-Cuilwarthon, což znamená Mrtví, kteří žijí, a staly se z nich mocné bytosti sídlící v krajích kolem severního toku Sirionu. Nyní je však naše vyprávění u konce – líbilo se ti?

[Na to Eriol pravil, že nečekal tak úžasný příběh od někoho, jako je Vëannë, na což ona odpověděla:] „Ten příběh nesestává z mých vlastních slov, ale je mi milý – a všechny děti znají skutky, které popisuje – a naučila jsem se jej nazpaměť, když jsem jej četla ve velkých knihách, avšak nerozumím všemu, co se v něm praví."

*

Ve 20. letech minulého století sepisoval můj otec ztracené příběhy o Turambarovi a Tinúviel ve verších. S prací na první z těchto básní, *Zpěv o dětech Húrinových*, složené ve staroanglickém aliteračním metru, začal v roce 1918, ale přerušil ji dávno před dokončením, nejspíš poté co odešel z Leedské univerzity. V létě roku 1925, tedy v roce, kdy byl jmenován profesorem anglosaštiny na Oxfordu, začal pracovat na „básni o Tinúviel", nazvané *Zpěv Leithian*. Tento výraz otec překládal jako „Propuštění z pout", ale název samotný nikdy nevysvětlil.

Podivuhodné a netypické je, že na mnoho míst připsal datum. Prvním je 23. srpen 1925 u verše 557 (číslujeme-li báseň jako celek) a posledním 17. září 1931 vedle verše 4085. Nedlouho poté, u verše 4223, byla báseň přerušena ve chvíli, kdy podle příběhu „Carcharoth sklapne čelist tvrdší kovu" kolem ruky Berena třímající silmaril, když utíkal z Angbandu. Pro zbytek básně, který zůstal nedopsaný, se dochovaly dějové osnovy v próze.

V roce 1926 otec poslal mnoho svých básní R. W. Reynoldsovi, což byl jeho učitel na King Edward's School v Birminghamu. Onoho roku napsal dlouhý text s názvem *Náčrt mytologie se zvláštním zřetelem k Húrinovým dětem* a na obálku s tímto rukopisem později připsal, že tento text je „původní Silmarillion" a že jej napsal pro pana Reynoldse, aby mu „vysvětlil pozadí ‚aliterační verze' Túrina a draka".

Náčrt mytologie byl „původním Silmarillionem", protože se stal přímým základem pro pozdější vývoj; se Ztracenými příběhy naopak nemá stylistickou kontinuitu žádnou. *Náčrt* je tím, co jeho jméno naznačuje: jedná se o dějovou osnovu napsanou v hutném stylu v přítomném čase. Zde cituji pasáž, která ve velmi stručné podobě shrnuje příběh o Berenovi a Lúthien.

Úryvek z Náčrtu mytologie

Morgothova moc se znovu začíná šířit. Jednoho po druhém poráží lidi i elfy na severu. Jedním z nich byl slavný lidský vojevůdce Barahir, který byl přítelem Celegorma z Nargothrondu.

Barahir je nucen vyhledat úkryt, načež je jeho skrýš vyzrazena a on zabit; jeho syn Beren, jenž vedl život psance, utíká na jih, překračuje Hory stínu a po zlých útrapách dochází do Doriathu. O tomto a jeho dalších dobrodružstvích vypráví *Zpěv Leithian*. Získává si lásku „slavíčka“ Tinúviel – jak říká Lúthien –, Thingolovy dcery. Aby si ji zasloužil, Thingol po něm posměšně žádá silmaril z Morgothovy koruny. Beren se pro něj vypraví, je zajat a uvržen do kobky v Angbandu, ovšem skryje svou skutečnou totožnost a jako otrok je darován lovci Thû. Thingol Lúthien uvězní, ale ta uteče a vydá se hledat Berena. Za pomoci pána psů Huana Berena vysvobodí a získá přístup do Angbandu, kde její tanec omámí Morgotha kouzlem a uvrhne jej do spánku. Získají silmaril a utečou, ale u bran Angbandu jim zastoupí cestu vlčí strážný Carcaras. Ten ukousne Berenovi ruku, která třímá silmaril, a propadne šílenství z mučivé trýzně, když jej kámen začne uvnitř spalovat.

Utečou a po dlouhém putování se vracejí do Doriathu. Carcaras plení lesy a vtrhne do Doriathu. Tam je uspořádán hon na vlka, při němž je Carcaras zabit a Huan umírá při obraně Berena. Beren sám je však smrtelně raněn a umírá Lúthien v náručí. Některé písně praví, že za pomoci své božské matky Melian přešla Lúthien Ledovou tříšť do Mandosových síní, kde jej získala nazpět; jiné, že poté, co si Mandos vyslechl jeho příběh, Berena propustil. Jisté je, že ze všech smrtelníků se od Mandose vrátil jen on a žil s Lúthien v lesích Doriathu a na Vysočině lovců západně od Nargothrondu a s lidmi již nikdy nepromluvil.

Je patrné, že zde v legendě došlo k významným změnám, z nichž nejočividnější je Berenův věznitel: zde se setkáváme s „lovcem" Thû. Na konci *Náčrtu* se praví, že Thû byl Morgothův „velký velitel" a že „unikl před Poslední bitvou a obývá temná místa a svádí lidi ke svému příšernému uctívání". Ve *Zpěvu Leithian* se objevuje Thû jako obávaný Nekromant, pán vlků, který pobývá na Tol Sirion, ostrově na řece Sirion s elfí strážní věží, ze kterého se později stal Tol-in-Gaurhoth, Ostrov vlkodlaků. Jedná se, či bude jednat, o Saurona. Tevildo a jeho kočičí říše zmizeli.

V pozadí se však poté, co byl napsán *Příběh o Tinúviel*, objevil další zásadní prvek legendy: týká se Berenova otce. Zmizel polesný Egnor, Gnóm, „jenž lovil na temnějších místech na severu Hisilómë" (str. 34). V právě citované pasáži *Náčrtu* je jeho otcem Barahir, „slavný *lidský* vojevůdce", který byl zahnán do úkrytu před rostoucí nepřátelskou mocí Morgotha, načež byl jeho úkryt vyzrazen a on zabit. „Jeho syn Beren, jenž vedl život psance, utíká na jih, překračuje Hory stínu a po zlých útrapách dochází do Doriathu. O tomto a jeho dalších dobrodružstvích vypráví *Zpěv Leithian*."

Pasáž ze Zpěvu Leithian

Zde cituji pasáž ze *Zpěvu* (složeného roku 1925, viz str. 65), jež popisuje zradu Gorlima, známého jako Gorlim Nešťastný, který Morgothovi vyzradil, kde se ukrývá Barahir a jeho společníci, a zachycuje následné události. Zde bych chtěl zmínit, že podrobnosti vzniku této básně jsou velmi spletité, ale jelikož mým (ambiciózním) cílem pro tuto knihu je předložit snadno přístupný text, který demonstruje narativní vývoj legendy v jeho různých stadiích, opomenul jsem v podstatě veškerou problematiku s tímto spojenou, která by tento cíl jen rozmělňovala. Textová geneze básně je popsána v mé knize *Zpěvy Beleriandu* (*Dějiny Středozemě*, sv. 3, 1985). Ukázky ze *Zpěvu* pro tuto knihu jsem doslovně převzal z textu, který jsem pro *Zpěvy Beleriandu* připravil. Čísla veršů se vztahují k těmto ukázkám a nejsou totožná s čísly veršů v básni jako celku.

Pasáž, která následuje, pochází z druhého zpěvu básně. Předchází jí popis hrůzostrašné Morgothovy krutovlády nad severními zeměmi v době, kdy Beren přišel do Artanoru (Doriathu), a o přežívání Barahira, Berena a deseti dalších v úkrytu. Po těchto všech Morgoth marně pátral mnoho let, než Barahir „byl polapen / v osidlech Morgothových".

Gorlim to byl, kdo hnán a štván,
útěkem znaven, bojem vyčerpán,

se noci jedné šerem temných polí
pokradmu plížil dolů do údolí,
kde zbytek jeho druhů v skrytu dlel, 5
však cestou zabloudil a náhle zřel
stavení sivé, jak se do tmy halí,
jen z okna malého ven unikaly
záblesky jisker mihotavé svíce.
Pln nejistoty nahléd do světnice 10
a spatřil, jako když mu touha snivá
v hlubokém spánku srdce obelstívá,
ve mřivém světle svoji ženu stát,
jak oplakává jej; a vetchý šat,
líc její bledá, vlasy šedé málem, 15
vše prodchlé bylo samotou a žalem.
„Ach! líbezná a něžná Eilinel,
já za ztracenou již tě málem měl
kdes ve tmách pekla! Sám bych přísahal,
že viděl jsem, jak mi tě osud vzal 20
té hrůzné noci, kdy mě během chvíle
připravil o vše, co mi bylo milé“:
tak v hloubi pravil jeho srdce hlas,
zatímco ve tmě stál a tiše žas.
Však dřív, než odvážil se zavolat 25
svou ženu jménem, nebo ptát se snad,
jak ocitla se v zdejším údolí,
křik náhle rozezněl se v údolí!
Zlověstné houkání se neslo nocí,
když v letu sova kroužila, a vlci 30
divocí všude kolem vyli v tmách,
co chvíli Gorlimovi ve stopách.
Ten dobře věděl, že to jeho loví
nezdolní služebníci Morgothovi.
Tak mlčky spěchal pryč, by nepřítel 35
s ním nechtěl zahubit i Eilinel,
stezkami zrádnými jak zvíře líté

uháněl pryč přes říčky kamenité
slatinou záludnou se proplétal,
do pustých končin bez lidí se hnal, 40
až dorazil k svým druhům v tajnou skrýš,
kde spočinul; noc černá slábla již,
však Gorlim nespal, na pozoru stále,
vyhlížel mraky, jitrem zesinalé,
jež plížily se nad chmurnými stromy. 45
V žalu a zoufalství, jež duši chromí,
i do okovů pad by Gorlim rád,
jen moci ženu svou zas uhlídat.
Tak v mukách toužil spatřit Eilinel,
však v lásce rovněž svého pána měl, 50
tak jako hnusil se mu temnot král.
Však kdo ví, kam se v dumách zatoulal?

Den za dnem chřadla mysl ztemnělá,
až vposled Gorlim, zmámen docela,
vstříc šel těm lovcům, již jej stíhali, 55
s přáním, by doveden byl ke králi,
jak povstalec, jenž lituje svých činů
a žádá, zdali může smýt svou vinu,
pakliže prozradí, co tajně chystá
Barahir smělý a kde dozajista 60
lze polapit jej, ať je noc, či den.
Tak Gorlim neblahý byv odveden
do temných síní, ve hlubiny zrádné,
u nohou Morgothových k zemi padne
a vloží důvěru v to srdce kruté, 65
klamem a lží skrz naskrz provanuté.
I pravil Morgoth: „Záhy přijde čas,
kdy s krásnou Eilinel se setkáš zas,
ba věz, že tam, kde nyní dlí a čeká,
vám vyplní se touha věkověká 70
již nikdy více bez druhého být.

Hleď, zrádce, odměny se nabažit
a věz, že přání tvá se záhy splní!
Neb mezi živými již dávno není
tvá Eilinel, jež dávno bloudí v stínu 75
nemajíc manžela ni domovinu –
to tenkrát viděls pouhý přelud jen,
z tvé milé nezbylo nic, leda sen!
A nyní věz, že se ti poštěstí
sestoupit skrze brány bolesti 80
kam toužils jít; nuž tedy do pekel
běž v šerých mlhách hledat Eilinel."

Tak Gorlim sešel smrtí strašlivou
sám navždy proklínaje duši svou,
a Barahira lapil smrti spár 85
a všechny smělé činy stihl zmar.
Však ani Morgothovy šalby síla
nadobro všechen odpor nezlomila;
pár protivníků ještě stále zbylo,
již podrývali jeho zlostné dílo. 90
Tak věřilo se, že to Morgoth sám
stvořil ten záludný a krutý klam,
jenž veskrz Gorlimovi duši zmát,
a plamen naděje, co ještě chřad
tam v pustých lesích, naposledy zhas; 95
však Beren naštěstí se v onen čas
daleko od svých druhů na lov bral
a v skrytu tajemných míst nocoval.
Tam v spánku ucítil, jak srdce svírá
plíživých temnot děs a hrůza čirá 100
a kmeny stromů, náhle obnažené,
jak v žalu skláněly se větrem zmdlené;
tam místo listů černých křídel řad
zřel Beren ve větvích se třepotat
a ze zobáků kanout krve nach, 105

když krákor rozléhal se v korunách;
jako by lapen byl do mlžných pout
námahou sotva mohl údy hnout,
než vposled u jezera spočinul.
Pojednou spatřil v dáli stín, co plul 110
tam po hladině nehybné a tiše
co bledá postava, či přízrak spíše,
vodami sinalými k břehu spěl,
kde šeptem žalným Berenovi děl:
„Hleď na Gorlima, zrádce zrazeného, 115
jenž před tebou tu stojí! Kdepak, z něho
strach neměj. Za otcem bys spěchat měl!
Snad hrdlo svírá mu již nepřítel,
jenž ví, kde hledat skrýši tajenou,“
tak vyznal dopodrobna zradu svou, 120
k níž léčkou hanebnou jej Morgoth sved.
Nato jen Beren hbitě vstal a hned
vzav meč a luk již kupředu se hnal
a cestu větvovím si klestil dál
jak vichr skrze stromy jesenní, 125
dokud se srdcem v jednom plameni
nespatřil Barahira, otce svého,
na zemi ležet – světu ztraceného;
žel pozdě přišel již. A za úsvitu
zřel domov psanců, ostrov v mokřin skrytu, 130
z nichž náhle hejno vzlétlo k nebesům –
však cizí zdál se mu těch křídel šum.
To z olší rozléhal se do všech stran
křik krkavců a mrchožravých vran;
zakrákal jeden: „Pozdě přicházíš!“ 135
a sborem znělo: „Pozdě! Pozdě již!“
Tak proklet Morgoth byl hned natřikrát,
a srdce Berenovo sevřel chlad,
že nad otcovým tělem sotva lkal,
když pod vrch kamenný jej pochoval. 140

Pak v stopách vrahů hnal se bez ustání
mokřinou, horami i širou plání,
než tam, kde z hlubin prýští vody vřelé,
zřel vůkol tábořit své nepřátele,
vojáků houf, jejž vyslal temnot král. 145
Z nich jeden ostatním se vychloubal
prstenem, který z mrtvé ruky stáh.
„Až v Beleriandu," děl onen vrah,
„byl tenhle prsten ukován. To víte,
takový za zlato si nekoupíte, 150
a Barahir, ten lapka bláhový,
kterého skolil jsem, tak tomu prý
jej vděčný Felagund kdys darem dal.
Nejspíš to pravda je, když přikázal
mi král náš donésti mu tenhle skvost. 155
Mně ale zdá se, že má přece dost
vzácnějších klenotů v své pokladnici.
Já nebojím se Morgothovi říci,
neb lakota by pánu neslušela,
že ruku Barahir měl holou zcela!" 160
Však po těch slovech zůstal rázem němý,
neb s šípem v srdci padl mrtev k zemi.
Sám Morgoth smál se, když se dozvěděl,
jak posloužil mu vlastní nepřítel,
když za něj ztrestal sluhu proradného. 165
Však méně libé byly sluchu jeho
zprávy, jak Beren ztečí tábor vzal,
když jako lítý vlk se zpoza skal
vyřítil vpřed a v pouhém okamžiku
vyprostil prsten z houfu válečníků, 170
a prchnul dřív, než rozpoutal se boj.
Sotva se blýskla trpasličí zbroj,
tak umně zkutá v ocelovou síť,
že žádný šíp ji nesved prorazit,
již v stínu skal a houštin zmizel zas, 175

neb Beren v čarovný se zrodil čas
a skrytý zůstal jeho kročej smělý
všem, kteří záhy lapiti jej chtěli.

Široko daleko byl Beren znám
odvahou nezměrnou, s níž proti tmám 180
po boku otce svého bojoval,
však nyní srdce zachvátil mu žal
a mysl beznadějí potemněla,
až zatoužil, by ostří nebo střela
zkrátily zármutek, jenž duši drtí – 185
jen železa otrockých se bál, ne smrti.
Záhubu hledal, vítal nebezpečí,
však neskonal ni v řeži sebevětší
hrdina činů, z nichž se tají dech,
o kterých zvěsti jako na křídlech 190
se záhy do daleka rozletěly,
neb mnozí za večerů šeptem pěli
o skutcích zázračných, jež vykonal,
když v obležení nepřátel sám stál,
ať ztracen v noci v mlžném luny svitu, 195
či v jasné záři slunce na blankytu.
S ním v lesích severních vzplál bitev žár,
jenž přines Morgothovu lidu zmar;
a přátelsky mu byli nakloněni
tvorové srstnatí i opeření 200
i duchové, již jako zkamenělí
v horách a pouštích stále ještě dleli,
a věrné své měl v bučině i v doubí.
Však psance věčně tíží přízrak zhouby
a ze všech králů, které znal svět zdejší, 205
byl Morgoth znám co vládce nemocnější,
jenž věděním svým stíhal bez únavy,
své protivníky, jak se v písních praví,
až v hrsti sevřel je. Ba nakonec

sám Beren musel z lesů prchnout přec, 210
dát sbohem zemi, kterou miloval
i svému otci, nad nímž rákos lkal
a z jehož mocných kostí zbyl jen prach
pod vrchem kamenným kdes v mokřinách.
Za noci podzimní skryt v šeré stíny 215
opustil Beren Sever nehostinný,
proniknuv tiše kolem nepřítele,
jenž rozestavil všade hlídky bdělé.
Tam jeho tětiva již nezapěla,
tam více nevzlétla již jeho střela, 220
tam nesložil již k spánku v mech a trávu
pod nebem širým uštvanou svou hlavu.
Když měsíc k mlžným borům shůry kles,
když vítr šelestný se skrze vřes
a kapradí hnal plání, žádný z nich 225
již psance nespatřil. Zář severních
těch hvězd, jež na mrazivém nebi plály
a které od pradávna lidé zvali
Ohnivým keřem, Beren v zádech měl,
když pustou slatinou se navracel, 230
a jejich přísvit loudil ze stínu
jezero, kopec, horskou bystřinu.

Ze Země hrůzy poté na jih dál
cestami zrádnými se ubíral
přes Hory stínu, jejichž štíty chladné 235
jen kročej nejsmělejší zdolat zvládne.
Ve svazích severních se ukrýval
nepřítel krutý, bída, strast a žal;
zatímco na jihu čněl do výšin
hrotitý sráz, jenž vrhal stín 240
v hlubinu proradnou, z níž vzešel kdysi,
kde hořká voda se sladkou se mísí.
Tam skryta v údolích a roklinách

moc kouzel číhala, neb v dálavách,
jichž pátravý by nedohlédl zrak, 245
pokud by nevznesl se nad oblak,
kde jenom orli dlí, pak zřel by třpyt
na šedém obzoru se v mlhách skvít,
kde Beleriand, Beleriand blahý je,
pomezí čaromocné Faerie. 250

Quenta Noldorinwa

Po *Náčrtu mytologie* byl tento text, jemuž budu dále říkat *Quenta*, jedinou verzí „Silmarillionu“, kterou otec stačil v úplnosti dokončit. Jeho strojopis vyhotovil (téměř s jistotou) v roce 1930. Nedochovaly se žádné pracovní verze ani osnovy, pokud vůbec nějaké kdy existovaly; očividně však měl během psaní notnou dobu před sebou *Náčrt*. Text je delší než *Náčrt* a jasně se v něm projevuje „silmarillionský styl“, ale stále se jedná o stručný a zhuštěný výklad. Podle podtitulu jde o „stručné dějiny Noldoli čili Gnómů“, čerpající z *Knihy ztracených příběhů*, již napsal Eriol [Ælfwine]. Dlouhé básně tou dobou již samozřejmě existovaly, ovšem i přes značný rozsah zůstávaly z velké části nedokončené, a otec stále pracoval na *Zpěvu Leithian*.

V *Quentě* došlo k význačné proměně legendy o Berenovi a Lúthien uvedením noldorského panovníka Felagunda, syna Finroda. Abych vysvětlil, jak k tomuto došlo, ocituji zde úryvek z tohoto textu. Nejprve však bude nutná poznámka ke jménům. Vůdcem Noldor během velké poutě elfů z Cuiviénenu, Vody probuzení daleko na východě, byl Finwë; jeho tři synové byli Fëanor, Fingolin a Finrod, který byl otcem Felagunda. (Později byla tato jména změněna: ze třetího Finwëho syna se stal *Finarfin* a *Finrod* bylo jméno jeho syna; Finrod byl však také *Felagund*. Toto jméno v jazyce trpaslíků znamenalo „Pán jeskyní" nebo také „Hloubitel jeskyní", neboť byl zakladatelem Nargothrondu. Sestra Finroda Felagunda se jmenovala Galadriel.)

Úryvek z Quenty

Písně tyto časy nazývaly Obklíčení Angbandu. Meče Gnómů tehdy ohradily zemi před zkázou z Morgothových rukou a jeho moc byla uzavřena za zdmi Angbandu. Gnómové se holedbali, že nikdy neprolomí jejich obležení a že nikdo z jeho lidí přes ně neprojde, aby mohl ve světě napáchat zlo. (...)

V oné době překročili nejstatečnější a nejsličnější z lidské rasy Modré hory a přišli do Beleriandu. Objevil je Felagund a navždy se stal jejich přítelem. Jednou byl Celegormovým hostem na východě a vyjel si s ním na lov. Oddělil se však od svých společníků a v noci dorazil k údolí v západním předhůří Modrých hor. V údolí zářila světla a zněl jím zvuk drsných písní. Felagund žasl, neboť jazyk onoho zpěvu nebyl řečí Eldar ani trpaslíků. Nebyl to ani jazyk skřetů, čehož se zprvu obával. Tábořili tam muži Bëora, mocného lidského válečníka, jehož synem byl smělý Barahir. Byli to první lidé, kteří kdy přišli do Beleriandu. (...)

Té noci se Felagund vypravil mezi spící muže Bëorovy družiny, posadil se k jejich zmírajícím ohňům, které nikdo nehlídal, vzal do ruky harfu, již Bëor odložil, a začal na ni hrát hudbu, kterou ucho smrtelníka nikdy předtím nezaslechlo, neboť se této melodii naučil od samotných Temných elfů. Nato se muži probudili a užasli, neboť v oné písni byla veliká moudrost, stejně jako krása, a srdce, jež jí naslouchala, se touto moudrostí naplnila. A tak lidé pojmenovali Felagunda, prvního příslušníka Noldoli, s nímž se seznámili, Moudrost a celou jeho rasu, které my říkáme Gnómové, nazvali Moudrými.

Až do své smrti žil Bëor s Felagundem a jeho syn Barahir byl největším přítelem Finrodových synů.

Tu přišel čas zkázy Gnómů. Dlouho trvalo, než tato chvíle nastala, neboť získali velikou moc a byli velmi odvážní a měli početné a smělé spojence, Temné elfy a lidi.

Jejich osud však vzal nečekaný obrat. Dlouho chystal Morgoth ve skrytu své síly. Jedné zimní noci vypustil velké ohnivé řeky, jež zavalily celou planinu pod Železnými horami a sežehly ji v holou pustinu. Mnoho Gnómů patřících k Finrodovým synům v plamenech zahynulo a dým vnesl mezi Morgothovy soupeře temnotu a zmatek. V závěsu za ohněm se vynořily černé armády skřetů v takovém počtu, jaký Gnómové nikdy předtím ani ve svých představách nespatřili. Takto Morgoth prolomil sevření Angbandu a rukama skřetů povraždil mnohé z nejstatečnějších obléhajících bojovníků. Jeho nepřátelé skončili roztroušeni široko daleko, Gnómové, Ilkorinové a lidé. Většinu lidí zahnal za Modré hory, s výjimkou dětí Bëorových a Hadorových, jež se uchýlily do Hithlumu za Horami stínu, kam dosud nesahala skřetí moc. Temní elfové uprchli na jih do Beleriandu a ještě dále, mnozí však zamířili do Doriathu. Thingolovo království v oněch časech, než poskytl elfům ochranu a úkryt, vzkvétalo a jeho moc byla veliká. Melianina kouzla, jimiž byly opředeny hranice Doriathu, do Thingolových síní ani říše nevpustila žádné zlo.

Morgoth uchvátil borový les a učinil z něj místo hrůzy a strážnou věž Sirionu proměnil v baštu zla a hrozeb. Uvnitř přebýval Thû, nejpřednější Morgothův služebník, čaroděj oplývající hrůzostrašnou mocí a pán vlků. Tíže oné hrozivé bitvy, druhé bitvy Gnómů a jejich první porážky, nejvíce dolehla na Finrodovy syny. Angrod a Egnor padli. I Felagund by byl zajat či zabit, ale objevil se Barahir se všemi svými muži a gnómského krále zachránil a vystavěl kolem zeď z kopí; a ač utržili bolestné ztráty, podařilo se jim vymanit ze skřetího obklíčení a prchnout na jih ke slatinám podél Sirionu. Tam Felagund Barahirovi, veškerému jeho lidu a všem jeho potomkům odpřisáhl nehynoucí přátelství a přislíbil jim pomoc v nouzi a na znamení svého závazku dal Barahirovi svůj prsten.

Nato Felagund vyrazil na jih a na březích Narogu založil po Thingolově vzoru skryté jeskynní město a království. Ona hluboká místa se nazývala Nargothrond. Po bezdechém útěku a nebezpečné pouti dorazil Orondreth [syn Findrodův, Felagundův bratr] a s ním Celegrom a Curufin, synové Fëanorovi a jeho přátelé. Celegormovi lidé rozmnožili Felagundovy síly, ale bývalo by lepší, kdyby se připojili ke svému rodu, který opevnil horu Himling východně od Doriathu a naplnil Aglonskou rokli skrytými zbraněmi. (...)

V oněch dnech strachu a nejistoty po Bitvě náhlého plamene se událo mnoho hrůzostrašných věcí, i když je zde zmíněna jen hrstka z nich. Říká se, že Bëor byl zabit a Barahir se sice před Morgothem nesklonil, ale přišel o veškerou svou zem, jeho lidé se rozprchli nebo byli zotročeni nebo zabiti a on sám se stal psancem spolu se svým synem Berenem a deseti věrnými muži. Dlouho se skrývali a potajmu statečně bojovali se skřety. Nakonec však, jak se praví na začátku písně o Lúthien a Berenovi, byla Barahirova skrýš vyzrazena a on sám i se svými druhy byl zavražděn, s výjimkou Berena, který toho dne byl šťastnou náhodou daleko na lovu. Poté žil Beren o samotě jako psanec, vyjma pomoci, jíž se mu dostalo od ptáků a zvěře, které miloval; a v zoufalých činech toužil nalézt smrt, ale ta nepřicházela. Naopak dosáhl věhlasu a slávy v tajných písních uprchlíků a Morgothových tajných nepřátel, takže se zkazky o jeho činech dostaly až do Beleriandu a vyprávělo se o nich i v Doriathu. Po nějaké době Beren prchl na jih před smyčkou, která se kolem něj neustále stahovala, překročil Hory stínu, aby zmožený a zedraný nakonec dorazil do Doriathu. Tam si potají získal lásku Thingolovy dcery Lúthien, jíž pro krásu jejího zpěvu za soumraku pod korunami stromů pojmenoval Tinúviel, slavík. Byla totiž dcerou Melian.

Thingol však zuřil a pohrdavě Berena odbyl, ale nezabil ho, neboť dal své dceři slib. Přesto jej však chtěl poslat na smrt, a tak ve svém nitru vymyslil úkol, který nebylo možno splnit, řka: Pokud mi přineseš silmaril z Morgothovy koruny, dovolím, aby si tě Lúthien vzala, bude-li chtít. A Beren se zapřisáhl, že králi silmaril přinese, a s Barahirovým prstenem na ruce vyrazil z Doriathu do Nargothrondu. Výprava za silmarilem oživila přísahu, jíž složili Fëanorovi synové, a z ní povstalo zlo. Felagund věděl, že je výprava nad Berenovy síly, a byl ochoten mu poskytnout veškerou pomoc, protože sám přísahal věrnost Barahirovi. Celegorm a Curufin však jeho lidi odradili a vyvolali proti němu vzpouru. V srdcích se jim probudily zlé myšlenky a rozhodli se zmocnit nargothrondského trůnu, neboť byli syny z nejstarší linie. Než aby Beren získal silmaril a předal jej Thingolovi, podkopali moc Doriathu a Nargothrondu.

A tak Felagund předal svou korunu Orodrethovi a opustil svůj lid s Berenem a desíti věrnými spolustolovníky. Přepadli bandu skřetů, pozabíjeli je a s pomocí Felagundových kouzel se sami převlékli za skřety. Ze své strážné věže, která dříve náležela Felagundovi, je však spatřil Thû a podrobil je výslechu a při zápase Thûa a Felagunda byla jejich kouzla přemožena. Tak se ukázalo, že jsou to elfové, ale Felagundova magie skryla jejich jména a poslání. Dlouho je Thû ve svých kobkách mučil, avšak nikdo z nich své společníky nezradil.

Přísahu zmíněnou na konci této pasáže složil Fëanor a jeho sedm synů. Slovy *Quenty* podle ní měli „se vší vervou a nenávistí až do skonání světa stíhat každého z Valar, démona, elfa, člověka či skřeta, který by vlastnil, vzal či měl v držení silmaril proti jejich vůli“. Viz str. 88–89, verše 171–80.

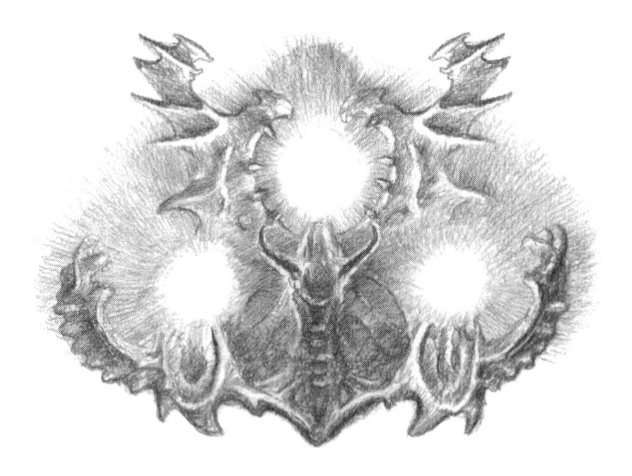

Druhý úryvek ze Zpěvu Leithian

Zde cituji další pasáž ze *Zpěvu Leithian* (viz str. 67, 68) vyprávějící příběh, který je uveden svrchu ve velmi zhuštěné podobě tak, jak jej uvádí *Quenta*. Báseň začínám citovat v bodě, kdy Obklíčení Angbandu skončilo tím, co bylo později nazváno Bitvou náhlého plamene. Podle dat, která můj otec na rukopis napsal, vznikla celá pasáž během března a dubna roku 1928. Veršem 246 končí šestý zpěv básně a následuje sedmý.

Štěstěna ovšem není věčně stálá
a osud zvrátil se, když žárem vzplála
Vyprahlá pláň, jíž náhle zaplavil
plamenný příval Morgothových sil
a černých vojsk, jež v skrytu šerých skal   5
pln touhy po mstě léta budoval.

Tak Angband prolomil se z obležení;
v ohni a dýmu byli rozprášeni
sokové Morgothovi, jehož hněv
hnal skřety vraždit, dokud rudá krev   10

jim z krutých šavlí v slzách nestékala.
I Felagunda málem rána sklála,
však smělý Barahir vzal sobě štít
a kopí mocné, s nimiž zachránit
jej spěchal. Načež spolu na útěk 15
se dali k mokřinám, kde vroucí vděk
Felagund stvrdil přísahaje dlouze
vždy jeho rodu pomoct v časech nouze.
Však, běda, ze čtyř Finrodových dětí
Angrod a Egnor neunikli smrti. 20
Felagund s Orodethem shromáždili
zůstatek těch, co ještě živí zbyli,
své muže, ženy své a dítka drahá,
neb válečný běs vystřídala snaha
v bezpečí skrýt je dále na jihu. 25
Ve hloubi jeskyní kdes u břehů
Narogu tajnou tvrz si zbudovali
a bránu ukrytou do čela skály,
strohou a přepevnou, již žádná síla
až do dob Túrinových nedobyla 30
a na niž padal šerých stromů stín.
A bratři Celegorm a Curufin
též u Narogu dleli dlouhý čas
a jejich mocný lid tu vzkvétal zas.

Tak v Nargothrondu stále panoval 35
Felagund v skrytu jeskyň jako král,
zachránci svému slibem zavázán.
Teď Barahirův syn, jak ve snách hnán,
po lesích chladných maně bloumal sám.
Po šerých březích řeky bral se tam, 40
kde Esgalduiny tok ledem bledý
se vlévá v Sirion a stříbrošedý
pak širým řečištěm jej žene proud
na vlnách vznešených do mořských vod.

I Beren přišel tam, kde Sirion 45
nakrátko ujařmil vod divý shon
v jezerech zrcadlících záři hvězd,
by záhy rákosím se nechal nést,
slatinou rozlehlou, již napájel
do ramen rozehnán, a dále spěl, 50
až v propast podzemní se zanořil,
kde jeho tok se vinul mnoho mil.
Ty tůně šedavé jak slzy stín
elfové zvali Umboth-Muilin,
Soumračná jezera. A odtud v dál 55
syn Barahirův zřel skrz deštný val
od Pláně střežené až k vrcholům
Loveckých kopců, jejichž chmurný chlum
západní vítr na dřeň očesal,
přestože déšť do hladiny pral, 60
až z tůní tříšť jak mlha stoupala,
přec Beren jistý byl si bezmála,
že tam kdes ve skalách se Narog vine,
tam Felagund své střežené má síně
a řeka Ingwil shůry v peřej padá. 65
Zde věčnou stráž, jak obezřetnost žádá,
Gnómové nargothrondští svorně drží
a každý vrch jest korunován věží,
kde hlídka neúnavná stále bdí
nad plání, cestami a povodím, 70
kol kterých Sirion a Narog plyne;
tam lučištníci stráží hvozdy stinné,
kam kdyby nezvaný host vejít chtěl,
hned zakusil by smrtonosných střel.

Však právě sem teď chvatným krokem spěje 75
ten, jemuž na ruce se prsten skvěje,
dar Felagundův jeho otci daný.
„Ni skřet, ni zvěd tu kráčí zatoulaný –

to v lesy zdejší v míru zavítal
syn Barahirův, jehož ctil váš král.“ 80

Tak volaje dál na východ se bral
k břehům, kde Narog ryčně klokotal
kol černých kamenů. Však v malé chvíli
jej ze stran lučištníci obklopili.
Ač Beren vypadal jak trhan zcela, 85
když lesní hlídka jeho prsten zřela,
hned hold mu vzdala. V noci na pochod
se dali na sever, neb žádný brod,
ni most tu nevedl vstříc bráně tajné
přes vlny vzbouřené a nepoddajné. 90

V těch místech nikdo – spojenec, ni sok –
by řeku nepřekonal. Její tok
však na severu pozbýval své síly,
než vody Ginglithu se do něj vlily,
břeh lemující pěnou zlatavou. 95
Tou cestou nejrychlejší noční tmou
dospěli k Nargothrondu strmým zdím,
vstříc jeho obřím síním zšeřelým.

Na nebi srpek měsíce se skvěl,
když v jeho svitu Beren uviděl 100
vchod v temnou skálu vytesaný
a přemohutné veřeje té brány,
jež zely dokořán. Tím zval jej dál
Felagund v palác svůj, kde kraloval.

Vlídnými slovy přijal hosta vládce, 105
jež pod Narogem panoval, a krátce
jej vyzval k vyprávění o bojích,
válkách i šarvátkách, a cestách svých.
Tak o samotě spolu rozmlouvali

a Beren osudy své líčil králi, 110
však slova nestačila, sotva jen
vzpomenul tanec ladné Lúthien
s bílými květy ve vlasech a zas
v soumraku hvězdném slyšel její hlas.
O síních doriathských vyprávěl, 115
ve kterých s Melian král Thingol dlel,
kde slavičí zněl zpěv a fontán třpyt
odrážel kouzelných lamp zlatý svit.
Pak Beren pravil, jaký těžký cíl
mu s pohrdáním Thingol uložil; 120
pro lásku čarokrásné Lúthien,
jíž vpravdě nerovná se žádná z žen,
překonat musí žhavou poušť, kde čeká
jej leda záhuba, či strastná muka.

Felagund užasle mu naslouchal 125
a vposled obavám svým průchod dal:
„Jak zdá se, Thingol po smrti tvé touží.
Vždyť věčný plamen silmarilů souží
přísaha zlá a kletba dřímá v nich;
jak víš, zář klenotů těch kouzelných 130
sám Fëanor dal v odkaz synům svým,
a proto právem patří jenom jim.
A vpravdě Thingol, hádám, dobře ví,
že marně žádá poklad takový,
neboť sám neporoučí elfům všem. 135
Však přesto pravíš, že tvým údělem
je získat jen a pouze silmaril,
bys návrat svůj jím takto vykoupil?
Před tebou leží mnohá stezka zlá –
a nejen Morgoth, ale nezdolná 140
zášť synů Fëanora, neskonalá,
od nebes v peklo by tě záhy hnala.
I kdybys v Doriath pak vešel zas

a činem svým tak získal krásu krás
do klína položiv ten plamen králi, 145
věz, hnedle mnozí by ti smrt jen přáli.
Vždyť Celegorm a Curufin přec dlí
zde, přímo v srdci mého království!
Ač Finrodův jsem syn a vládce zdejší,
jsou oba lidu svému nejmilejší. 150
Dosud mi v nouzi službu prokázali,
však velká pochybnost mě jímá, zdali
by Berenovi, synu Barahira,
patřila náklonnosti stejná míra,
kdyby snad Celegorm či Curufin 155
zvěděli, na jaký se chystáš čin."

A pravdu měl. Když totiž lidu svému
král vylíčil, co zvěděl a též k čemu
se Berenovu otci zavázal –
neb jistě v záhubu či krutý žal 160
by Morgoth uvrhl je beze všeho
nebýti Barahira smrtelného,
jenž pro ně kdysi třímal meč a štít –
hned mnozí do boje zas chtěli jít.
Však pohled Celegormův pýchou plál, 165
když záhy slyšení se domáhal.
Pozdvihnuv bleskný meč a plavou hlavu,
přehlušil halas bojovného davu
a s tváří sveřepou se slova jal,
zatímco tichem naplnil se sál. 170

„Ať přítelem jsi, nebo protivníkem,
ať elfem věčným, nebo smrtelníkem,
či démonem snad, jemuž Morgoth velí,
zlý osud stihne všechny, kdo by chtěli
nám upřít silmaril, a neochrání 175
je ani zákon, přízeň, zaklínání,

ni božská moc, ni hordy pekelné,
neb Fëanorův syn zná právo své.
Kouzelný klenot, trojí drahokam,
po právu patřit může jenom nám.“ 180

Tak prýštila z něj slova, jejichž síla
hned v srdcích lidu plamen probudila,
jak v Tûn když zněl kdys jeho otce hlas,
a v myslích temný strach je tížil zas
a v nitru zvolna klíčil mračný hněv; 185
zlou věstil válku, v které rodná krev
se v Nargothrondu bude prolévat,
jestliže s Berenem by chtěli dát
se cestou společnou; či krutý svár,
jenž uvrhnul by v záhubu a zmar 190
Doriath celý, pokud Thingol sám
by získal osudný ten drahokam.
Dokonce i ti nejvěrnější králi
přísahy dávné hořce litovali,
neb myšlenka, jak lstí či silou snad 195
by měli Morgothův hrad dobývat,
je vrhla v beznaděj. A Curufin
pak ještě zahalil je v pochyb stín,
když po svém bratru umně hovořil,
a bázeň do duší jim kouzlem vlil, 200
že Gnómů od Narogu žádný voj
již nepustil se v otevřený boj,
dokud je neved Túrin Turambar.
Znalostí magie a tajných čar,
pomocí lsti a zvědným umem svým, 205
přepadem ze zálohy vedeným,
jedovou střelou nebo zrádnou sítí,
tak vytrvalí a tak ostražití,
jak lovec, který na oběť svou číhá,
jak divá zvěř, jež tichým krokem stíhá 210

po celý den svou kořist nevědoucí,
by náhle skolila ji v hloubi noci –
tak Nargothrond svůj strážci věčně bdělí
dál bránili a raděj zapomněli
na rodné pouto, neb se každý bál 215
strachem, jejž Curufin v nich vyvolal.

Tak tedy Felagund v ten zlostný den
svým lidem vzdorným zůstal oslyšen:
syn Finrodův, jak šeptem znělo sálem,
jim dosud nebyl bohem – pouze králem. 220
Načež on z hlavy sňal svůj diadém
a na zem hodil, před očima všem,
tu nargothrondskou přílbu stříbrnou.
„Své přísahy si rušte, já však svou
přec dodržím a království se vzdám. 225
Jen vědět, že tu věrné druhy mám,
již nebojí se – hrstka stačí jen –,
bych dálavám vstříc nešel samoten
jak žebrák nebo psanec všemi štvaný,
s posměchem vyhnaný od městské brány 230
a navždy přinucený opustit
svou korunu, svou říši a svůj lid!“

Jakmile domluvil, jak v jednom šiku
povstalo deset skvělých válečníků,
již táhli pokaždé s ním do bitev, 235
kdekoliv rozvinul svou korouhev.
Z nich jeden pozdvih diadém a děl:
„Ó králi, ač nám padlo za úděl
dát městu sbohem, nevzdávej se trůnu,
jen se správcem se poděl o korunu.“ 240
Tak záhy Orodetha povolali
a Felagund děl svému místokráli:
„Dokud se nevrátím, tak, bratře můj,

zde království mé dobře opatruj.“
Celegorm opustil pak mlčky sál, 245
zatímco Curufin se usmíval.

❧❧

Tak tedy z Nargothrondu v podvečer,
po tajných stezkách směrem na Sever,
se mlčky bralo druhů dvanáctero,
než soumračné je pohltilo šero. 250
Jim nezní polnice, ni píseň k boji,
když v plášti popelavém, černé zbroji
z oceli utkané a s přilbou šedou
krajinou pokradmu své kroky vedou.

Po březích Narogu až ke prameni, 255
podél vod klokotavých, jež se vlní
krajinou, došli tam, kde potok prýští
a strmě padá v křišťálové tříšti,
jež pohár plní nad sklo průzračnější
ivrinských tůní, z nichž se vody zdejší 260
do řeky vlévají a na hladině
mlhavě zrcadlí se nehostinné
štíty Hor stínu v svitu měsíce.

Po dlouhé cestě nyní octli se
daleko od krajů, kde skřetů není, 265
ni démonů a strachu z utrpení.
V lesích, jež do tmy stíny kopců halí,
noc za nocí pak dlouho vyčkávali,
až jednou, když mrak měsíc zakryl zcela
a hvězdná obloha v ráz potemněla 270
a lesem začal dravý vítr vát,
podzimní listí z korun shazovat
a v temných vírech unášet je k zemi,

tu zdáli zaslechli, jak pod větvemi
se nesou drsné hlasy, hrubý smích; 275
a potom dusot nohou ohavných,
jež zdupaly tvář vyčerpané země.
I zřeli mnoho světel, rudých temně,
jak blíží se k nim, jak se blyští v tmách
zář jejich na šavlích a na píkách. 280
Tak nedaleko v stínu lesa skrytí
hleděli na škaredou tlupu skřetí,
jak v hrubém zástupu prach cesty víří.
A nad hlavami hejna netopýří
jim kroužila a sova ve větvích 285
jak duch se ozývala, dokud smích,
jenž skřípěl jako kámen po oceli,
nezmizel v tmách. Když kroky odezněly,
vyrazil Beren s elfy po stopách,
kradmo se plížil, tiše jako vrah, 290
jenž oběť vyhlédl si. Po chvíli
před sebou ve tmě tábor spatřili
a v mihotavém světle zřeli hned,
jak skřetů hrbí se tam na třicet
kol ohniště, z nějž linula se záře, 295
do ruda barvící jim kruté tváře.
Neslyšně tábor celý obklíčili,
ve stínu stromoví se umně skryli
a jeden každý napjal ve tmě luk.

Slyš! drnkly tětivy a šípů shluk 300
na povel vyletěl smrt rozsévat,
by rázem tucet skřetů k zemi pad.
Pak místo luků zablyští se meče,
hned hbité ostří do nepřátel seče,
a skřeti v mukách sténají a kvílí, 305
jako by ve tmách pekel zabloudili.
Krátký a zuřivý byl jejich střet,

však živý nezůstal ni jeden skřet.
Tak skončil osud tlupy loupeživé,
jež nikdy neměla víc, jako dříve, 310
plenit a drancovat zem ubohou.
Však přesto žádný z elfů písní svou
vítězství nad zlým sokem neslavil,
neb věděli, že pouze malý díl
velkého vojska zahynul tu dnes. 315
Do rokle hluboké, jíž halí les,
Felagund kázal hodit těla skřetů,
však předem vysvlékli je všechna z šatů,
jež jeho druzi místo svých si vzali,
by nepřátele lstí tak oklamali. 320

Šavle a píky, luky z rohoviny,
páchnoucí zbroj a hadry plné špíny
pak každý z nich si vzal, ač sotva rád,
neb hnusil se jim angbanský ten šat.
Tvář bledou svou a ruce začernili, 325
však nejdřív skřetům hlavy oholili
a z trsů černých zplihlých skřetí vlas,
jak Gnómové jen svedou, zručně zas
sešili k sobě, načež s odporem
pak skráně své a čelo skryli v něm, 330
a na zjev hleděli svůj zohyzděný.

Felagund zapěl poté píseň změny,
jímž z vlastní podoby se jiná stane;
zkřivený pysk a zuby rozeklané,
zkroucené uši, úsměv rozšklebený 335
tak hned jim kouzlem byly propůjčeny.
Své gnómské šaty kdesi v houští skryli
a za svým vůdcem v řadě vyrazili,
ohavným tak, až nevěřili málem,
že někdy býval sličným elfským králem. 340

Ač na sever se brali mnoho mil,
nikdo jim pranic v cestě nebránil,
ba skřeti kynuli jim na pozdrav.
Tak tedy kráčeli dál bez obav.

Za sebou Beleriand zanechali 345
v místech, kde bledý Sirion se valí,
bystřina zurčí napříč údolím,
z nějž vzhůru zvolna stoupá Taur-na-Fuin,
borovím zarostlý vrch bez pěšin,
les věčné noci, jehož temný stín 350
na východ táhne se až za obzor,
zatímco mračné štíty šedých Hor
dál k severu se stáčí v těsném řadu
a slunci zářit brání od Západu.

Tam ostrov kamenný čněl v údolí 355
jak balvan, který obři svrhnuli,
když jeden za druhým se kvapem hnal
přes nebetyčný hřeben tamních skal.
Kol úpatí se vinul řeky proud,
jako by hleděl ostrov obejmout, 360
až jeskyně zde v březích vyhloubil.
Tam vlny zachvěly se na pár chvil,
než k čistším břehům zamířily zas.

Věž elfská zdobila kdys onen sráz.
Ač krásu neztratila, přesto však 365
teď upírala pochmurný svůj zrak
zlovolně v jeden nebo druhý směr,
údolím k jihu nebo na sever:
tam Beleriand bledý ležel v dáli,
zatímco naproti se prostíraly 370
vyprahlé pláně, zpustošená zem,
nad jejímž prašným, širým obzorem

v oblacích bouře dusivých jak dým
strměly hrozivé Thangorodrim.

Však nyní v strážné věži sídlilo 375
a panovalo nejtemnější zlo;
a jižní cestu ve dne, za noci
hlídaly jeho oči planoucí.

Lidé mu říkali Thû, temný pán,
jenž později jak bůh byl uctíván 380
všemi, co klaněli se s modlitbami
a v stínech stavěli mu hrůzné chrámy.
Však dosud neměl obdiv smrtelníků
a Morgoth zval jej prvním z náčelníků,
Pánem všech vlků, kteří mocně vyli, 385
zatímco on sám vzýval temné síly
a kouzla děsuplná v skrytu tkal.
Tak mocí černokněžnou ovládal
zástupy přízraků a bludných stínů,
temnoty věčné zparchantělých synů, 390
netvorů, jež se před ním v bázni krčí,
ohavných duchů v kleté kůži vlčí:
ti všichni na ostrově zdejším dleli
a slepě činili, co Thû jim velí.

Ač družina šla, skryta pod převisem 395
větvoví truchlivého, temným lesem,
nezůstal jejich příchod utajen.
Thû spatřiv je již hnal své vlky ven:
„Hned přiveďte ty skřety, co se plíží,
jako když obava jim bedra tíží, 400
jako když nevědí, že každý skřet
musí, když navrací se z cesty zpět,
o činech svých mě zpravit bez prodlení.“

Thû vyčkával, než budou předvedeni,
bedlivě hledě z věže na výsosti, 405
zatímco klíčily v něm pochybnosti.
Obavou ztěžkla srdce věrných druhů,
když poté stanuli v tom vlčím kruhu.
Již Narog živi neuzří! Ach, běda!
A na mysl zlá předtucha jim sedá, 410
když krokem zdráhavým chtě nechtě jdou
po mostě žalu, cestou truchlivou,
tam k ostrovu, kde Černokněžník dlí
a trůn se tyčí, krví ztemnělý.

„Kde jste dleli? Co jste zřeli?“ 415

„Elfského lidu hoře a bídu,
plamenů žár, smrt, krev a zmar,
to vše jsme zřeli, když jsme tam dleli.
Třicet jsme zabili a těla hodili
do jámy pod strání, kde krouží havrani, 420
a soví houkání nad ní jak nářek zní.“

„Slouhové Morgothovi, povězte mi,
co nového se děje v elfské zemi?
Co v Nargothrondu? Kdopak vládne tam?
Ven s pravdou! Šli jste vstříc těm končinám?“ 425

„Jen k hranicím jsme došli, ne však dále,
kde Felagund je svrchovaným králem.“

„Že zmizel, to jste ještě neslyšeli,
a Celegorm trůn uchvátil si celý?“

„Toť mýlka! Dokud nevrátí se zpět, 430
na jeho místě vládne Orodreth.“

„Vida! Ač v království jste nevkročili,
přec vaše uši leccos pochytily!
Jak říkají vám, kopiníci smělí?
A kdypak už se dozvím, kdo vám velí?“ 435

„Nereb a Dungalef, toť naše jména,
nám domovem sluj v skalách vyhloubená,
kam s desaterem druhů v spěchu jdem,
pochodem pouští za svým úkolem.
Kde z hloubi země dýme výheň žhavá, 440
kapitán Boldog nás již očekává.“

„Však Boldog nedávno prý padl v boji
u hranic doriathských, v zlém tom kraji,
kde v hájích dubových a v jilmů stínu
lid bídných psanců má svou domovinu 445
a lapka Thingol trne ustrašen.
Vám známa není ladná Lúthien?
Toť dívka krásná běloskvoucích paží,
po níž sám Morgoth v doupěti svém baží.
Boldoga za ní vyslal, ten však pad. 450
Což v jeho řadách nebyli jste snad?

Proč Nereb vrhá pohled hněvivý?
To kvůli Lúthien? Snad protiví
se jeho mysli představa jen čirá,
že jeho pán svou kořist v hrsti svírá, 455
že poskvrní, co dosud čisté je,
a její zář svým stínem zakryje?

Nuž, Světlo, nebo Temnota vám velí?
Kdo největší je mezi stvořiteli?
Kníže, jenž povýšen je nad knížata, 460
výsostný dárce prstenů a zlata?
Kdo všade vládne jako světa král?

Kdo Bohům nenasytným radost vzal?
Neklopte zrak a přísahejte znova,
jak skřetům káže vůle Bauglirova! 465
Nechť zhyne zákon, po lásce je veta,
nechť z nebes vytratí se světlo světa!
Nechť na okrajích dále nečeká
temnota nekonečná, odvěká,
a Manwëho i s Vardou pohltí! 470
Nechť světem od zrození ke smrti
nenávist panuje, nechť zlo a hoře
roznítí nářek bezbřehého Moře!“

Člověk, ni elf, jenž v sobě úctu má,
nevzal by do úst slova rouhavá, 475
i Beren vzdorovitě pravil hned:
„Co zrovna Thû nám má co poroučet?
Jemu přec nedlužíme poslušnost
a v cestě beztak zdržel nás již dost!“

„Jen trpělivost,“ ušklíbl se Thû, 480
„však brzy pustím vás, bez odkladu,
jen co si vyslechnete píseň mou.“
Vtom síň se zaplnila temnotou,
v níž pouze jeho pohled žhnul a plál.
A v očích hlubokých, jež upíral 485
jak skrze mlžný závoj k hostům svým,
se rozum jejich rozplynul jak dým.

Thû mocně zapěl píseň čarovnou,
bolesti plnou, proradnou a zlou,
jež snímá klam a svléká přestrojení. 490
Felagund záhy však v tom okamžení
započal píseň svou, v níž zrady není,
o vzdoru zpíval proti nepříteli
a vůli pevné jak věž citadely,

o tajích, které chrání svornost pravá, 495
a důmyslu, jež léčky překonává,
o šalbě, která podobou svou klame,
a síle, která mříž i řetěz láme.

Píseň se přelévala sem a tam,
tu klesla, tu se vznesla k výšinám, 500
když mocněji se vzedmul Thûův hlas,
či Felagund se bránil kouzlem zas
vkládaje sílu v něj vší elfské moci.
Vtom zaslechli v té černočerné noci
zpěv ptáků nargothrondských zníti kdesi 505
v dáli a vzdechy moře pod útesy
tam za obzorem zemí západních
na březích písku bílého jak sníh.

Pak stín se snes: již do temnoty halí
se Valinor a vlny krví kalí 510
doruda mořský břeh, kde Gnómové
pobili Pěnoplavce, bratry své,
by jejich bílé lodě uloupili
zpod svitu luceren. Hle, vichr kvílí.
Vlk vyje. Krkavci se rozletěli. 515
A mořem skřípe krunýř zledovělý.
Angbandským vězňům slzy trýzní kanou.
Všude řev ozývá se, ohně planou,
vtom kouř se vyvalí, hrom zaburácí –
a Felagund se v mdlobě k zemi kácí. 520

V tom okamžiku náhle sličný vzhled
se jeho družiníkům vrátil zpět.
Zas v obraz jasných očí, světlé pleti
se proměnili křivohubí skřeti.
Tak čarodějem v mžiku odhaleni 525
vrženi rázem byli do sklepení,

kde temno trýznilo je, dusil žal,
kde řetěz sdrásal z těla všechen sval
a mysl zmohla samota a zmar.

Však odolal přec Felagundův čár, 530
neb Černokněžník dosud nezjistil
jmen jejich podobu a cesty cíl.
Thû nad tím dlouze dumal, přemítal,
ba v temných kobkách vězňům pustě lál
a hrozil smrtí ohavnou až běda, 535
pakliže tajemství, jež marně hledá,
mu nezjeví byť jedna ústa zrádná.
Jinak prý přijde vlků smečka hladná
zaživa po jednom je pozřít zcela
před zraky ostatních, by druhů těla 540

výstrahou byla poslednímu z nich,
jemuž pak v hloubi moren pekelných
kdes v nitru země v trýzni nekončící
lámány budou údy, dokud říci
nesvolí vše, co tajně v mysli chová. 545

I brzy došlo na Thûova slova.
Čas od času v té nejčernější tmě
pár očí rozžehnul se hladově
a štěkot hrůzný žalářem se nes
s bolestným řevem, když ten lítý běs 550
v čelistech kosti drtil a krev pil.
Však ani jeden slovem nezradil.

Zde Zpěv VII končí. Nyní se vrátím ke *Quentě* a budu pokračovat od slov „Dlouho je Thû ve svých kobkách mučil, však nikdo z nich své společníky nezradil", kterými končí předchozí výňatek (str. 82); a jako dříve pak navážu na líčení z *Quenty* velmi odlišnou pasáží ze *Zpěvu*.

Další úryvek z Quenty

Mezitím Lúthien, která se prostřednictvím Melianina vidění dozvěděla, že Beren padl do rukou Thûa, chtěla v zoufalství utéci z Doriathu. To zjistil Thingol a uvěznil ji v domku na nejvyšším ze svých buků, vysoko nad zemí. *Zpěv Leithian* popisuje, jak odtamtud unikla a dostala se do lesa, kde ji našel Celegorm, který byl na pomezí Doriathu na lovu. Zrádně ji odvedli do Nargothrondu a obratný Curufin se zamiloval do její krásy. Z jejího vyprávění se dozvěděli, že Felagunda uvěznil Thû. Rozhodli se nechat jej tam zahynout, zadržet u sebe Lúthien a přinutit Thingola, aby svou dceru provdal za Curufina, čímž by narostla jejich moc, opanovali by Nargothrond a stali se největšími gnómskými vládci. Nehodlali hledat silmarily ani pro ně posílat někoho jiného, dokud si nepodmaní veškeré síly elfů. Jejich plány však nevedly k ničemu než k odcizení a hořkosti mezi elfskými královstvími.

Velitel Celegormových psů se jmenoval Huan. Náležel k nesmrtelné rase z Oromëových lovišť. Oromë jej věnoval Celegormovi dlouho předtím ve Valinoru, kdy Celegorm často jezdíval s družinou tohoto boha a následoval jeho lovecký roh. Se svým pánem přišel do Velkých zemí a žádný šíp ani jiná zbraň, žádné kouzlo ani žádný jed mu nedokázaly ublížit, a tak svého pána doprovázel v bojích a mnohokrát jej zachránil před smrtí. Podle osudu neměl zakusit smrt, jedině z rukou nejmocnějšího vlka, který kdy kráčel po povrchu zemském.

Huan byl ryzího srdce a miloval Lúthien od okamžiku, kdy ji poprvé objevil v lese a přivedl ji k Celegormovi. Zrádné jednání jeho pána jej zarmoutilo, a tak Lúthien osvobodil a odebral se s ní na sever.

Tam Thû jednoho po druhém pozabíjel své vězně, až zbyli pouze Felagund a Beren. Když měla nadejít hodina Berenovy smrti, napnul Felagund všechny své síly, rozbil svá pouta a jal se zápasit s vlkodlakem, který přišel Berena roztrhat. Vlka zabil, ovšem sám v oné temnotě zemřel. Beren zoufale truchlil a sám čekal na smrt. Přišla však Lúthien a dala se před žalářem do zpěvu. Tím vylákala Thûa, neboť zvěsti o kráse Lúthien a kouzlu jejího zpěvu byly známé po všech krajích. Dokonce i Morgoth po ní toužil a slíbil obrovskou odměnu komukoliv, kdo by ji polapil. Každého vlka, kterého Thû vyslal, Huan potichu zabil, než se objevil Draugluin, největší z vlků. Následoval lítý boj a Thû poznal, že Lúthien není sama. Znal však Huanův osud a proměnil se v největšího vlka, který se kdy procházel po povrchu zemském, a vyšel ven. Huan jej však přemohl a získal od něj klíče i kouzla, jež držela při sobě jeho kouzelné zdi a věže. Pevnost se tak rozpadla, věže se zřítily k zemi a kobky se otevřely. Mnoho zajatců bylo osvobozeno, ale Thû uletěl v podobě netopýra do Taur-na-Fuin. Poté Lúthien nalezla Berena truchlícího vedle Felagunda. Vyléčila jeho žal a následky jeho uvěznění, ale Felagunda pohřbili na vrcholku jeho vlastního ostrova. Thû se sem již nikdy nevrátil.

Nato se Huan vrátil ke svému pánu a od té doby mezi nimi bylo méně lásky. Beren a Lúthien se bezstarostně toulali opojeni štěstím, až se znovu ocitli u hranic Doriathu. Tu se Beren rozpomněl na svou přísahu a dal Lúthien sbohem. Ona se od něj však nechtěla odloučit. V Nargothrondu panoval rozruch, neboť Huan a mnoho Thûových zajatců přinesli zvěsti o skutcích Lúthien, Felagundově smrti a došlo k odhalení zrady Celegorma a Curufina. Říká se, že ještě než Lúthien unikla, vyslali k Thingolovi tajného emisara, ale rozezlený Thingol nechal jejich listy poslat zpět po svých služebných Orodrethovi. Načež se srdce národa u Narogu obrátila zpět k Finrodovu rodu a lidé oplakávali krále Felagunda, jehož opustili, a dále poslouchali Orodrethovy příkazy.

Ten jim však nedovolil, aby Fëanorovi syny zabili, jak si přáli. Namísto toho oba vyhostil z Nargothrondu a přísahal, že od této chvíle bude mezi Narogem a Fëanorovými syny jen pramálo přátelství. A tak se také stalo.

Celegorm a Curufin zlostně štvali koně lesem směrem k Himlingu, když tu narazili na Berena a Lúthien právě ve chvíli, kdy se Beren loučil se svou milou. Dojeli k nim, a když poznali Berena, pokusili se ho zadupat kopyty svých koní.

Curufin však zvedl Lúthien do svého sedla a Beren provedl nejdelší skok, jaký kdy smrtelník dokázal. Neboť jako lev odrazil se přímo na pádícího Curufinova koně, popadl jezdce pod krkem a zaskočený Curufin i jeho kůň skončili na zemi, zatímco Lúthien byla odhozena opodál a zůstala ležet omráčená. Beren rdousil Curufina, ale sám se ocitl blízko smrti, když se k němu vracel Celegrom s kopím. V tu chvíli Huan vypověděl Celegromovi službu a skočil po něm, načež jeho kůň prudce změnil směr, a ohromný pes budil takovou hrůzu, že by se němu žádný člověk neodvažoval přiblížit. Lúthien nedopustila Curufinovu smrt, ale Beren mu vzal alespoň koně a zbraně, z nichž nejskvělejší byl jeho vyhlášený nůž vyrobený trpaslíky. Takový dokázal přeseknout železo stejně jako dřevo. Nato bratři odjeli, ale proradně ještě na Huana a Lúthien vystřelili. Huanovi neublížili, ale Beren se vrhl před Lúthien a byl raněn. Když vešlo Berenovo poranění ve známost, lidé jej Fëanorovým synům nezapomněli.

Huan zůstal s Lúthien, a když slyšel o jejich bezradnosti a o důvodu, kvůli němuž Beren stále musel do Angbandu, vydal se do zřícených Thûových síní a donesl jim odtamtud kůži vlkodlaka a netopýra. Jen třikrát promluvil Huan jazykem elfů či lidí. Poprvé když v Nargothrondu přistoupil k Lúthien. Toto bylo podruhé, kdy pro ně vymyslel zoufalý plán. A tak vyjeli na sever, dokud bylo bezpečné jet na koni. Potom si nasadili vlčí a netopýří převleky a Lúthien jako zlá víla jela na vlkodlaku.

Ve *Zpěvu Leithian* se píše vše o tom, jak dorazili k bráně Angbandu, která byla čerstvě osazená stráží, neboť k Morgothovi dorazily zvěsti o jakémsi neznámém plánu ze strany elfů. A tak vytvořil nejmocnějšího ze všech vlků, Carcharase Ostrotesáka, který hlídal brány. Lúthien jej však začarovala, načež se jim podařilo dostat až do přítomnosti samotného Morgotha, a Beren vklouzl pod jeho trůn. Nato se Lúthien odvážila k tomu nejnebezpečnějšímu a nejudatnějšímu činu, k jakému se kdy odhodlal kterýkoliv elf; říká se, že byl stejně hrozivý jako Fingolfinův úkol a byl by ještě hrozivější, kdyby Lúthien nebyla napůl božské stvoření. Odhodila svůj převlek, představila se svým skutečným jménem a předstírala, že ji přivedli vlci Thûovi jako zajatkyni. Podařilo se jí Mogotha okouzlit, ač jeho srdce stále spřádalo podlé plány. I zatančila mu a celý jeho dvůr uspala. Zazpívala mu a do tváře mu vmetla kouzelný háv, který si utkala v Doriathu, čímž jej uvrhla do svazujícího snu. Žádná píseň nevyjádří obdivuhodnost jejího skutku ani Morgothovu zlobu a ponížení, neboť i skřeti se tajně smějí, když si na to vzpomenou a když si mezi sebou vykládají, jak Morgoth spadl z trůnu a jeho železná koruna se kutálela po podlaze.

Nato Beren vyskočil ze své skrýše, shodil vlčí převlek a vytáhl Curufinův nůž. S ním vyřízl silmaril. V tu chvíli mu však narostla odvaha a rozhodl se, že je získá všechny. Nůž proradných trpaslíků se však zlomil, ozval se hlasitý zvuk, spící dvořané sebou trhli a Morgoth zasténal. Berena a Lúthien se zmocnila hrůza a oba se rozeběhli temnými chodbami Angbandu. Dveře ven jim zastoupil Carcharas, na něhož kouzlo Lúthien již přestalo působit. Beren se postavil před Lúthien, což, jak se ukázalo, byla chyba, neboť než se princezna stačila vlka dotknout svým pláštěm nebo vyslovit kouzelné slovo, vlk vyskočil po Berenovi, který neměl zbraň. Pravačkou zaútočil Carcharasovi na oči, ale zvíře sevřelo jeho ruku v čelistech a ukouslo ji. Tato ruka však držela silmaril, a jakmile se kámen dotkl zlého Carcharasova těla, ocitl se jeho jícen v jednom plameni a žaludek mu sevřela mučivá bolest. Vlk utekl s takovým vytím, až se všechny hory otřásaly, a zuřivost divého tvora z Angbandu byla ta nejhrozivější a nejničivější pohroma, která kdy sever postihla. Taktak se Berenovi s Lúthien podařilo utéci, než byla celá pevnost znovu na nohou.

O jejich putování a zoufalství, o uzdravení Berena, jenž byl od této doby nazýván Beren Ermabwed, totiž Jednoruký, o jejich záchraně

Huanem, který jim náhle zmizel, ještě než dorazili do Angbandu, a o jejich návratu do Doriathu není mnoho co říci. V Doriathu se nicméně událo mnohé. Od útěku Lúthien dopadala na království jedna rána za druhou. Když se princeznu nepodařilo vypátrat, celý národ postihl smutek a jejich písně utichly. Hledali ji dlouho a během pátrání se ztratil pištec Dairon, jenž Lúthien miloval, než do Doriathu přišel Beren. Byl to nejlepší elfský hudebník s výjimkou Fëanorova syna Maglora a Tinfanga Sedmihláska. Nikdy se do Doriathu nevrátil a bloudil ve východním cípu světa.

Hranice Doriathu musely čelit výpadům, protože se do Angbandu doneslo, že se Lúthien ztratila. V bojích zemřel skřetí kapitán Boldog, jehož zabil Thingol, jemuž v oné bitvě stáli po boku jeho velcí bojovníci Beleg Lučišník a Mablung Těžkoruký. Tak se Thingol dozvěděl, že Morgoth dosud nezajal Lúthien, ale že ví o jejím putování. Thingol měl nesmírný strach. Uprostřed tohoto strachu dorazil Celegormův tajný posel, jenž pravil, že Beren je po smrti a Felagund a Lúthien jsou v Nargothrondu. Thingol v srdci želel Berenovy smrti a rozlítil se na Celegorma za jeho zřejmou zradu Finrodova domu a také za to, že drží Lúthien a nedopravil ji do jejího domova. Nato král vyslal do Nargothrondu špehy a začal se připravovat na válku. Dozvěděl se však, že Lúthien utekla a Celegrom a jeho bratr odešli do Aglonu. A tak vyslal do Aglonu poselstvo, jelikož jeho moc nebyla dost velká na to, aby postihla všech sedm bratří, a spor vedl jen s Celegormem a Curufinem. Jeho výpravu však při průchodu lesem napadl Carcharas. Obrovský vlk zuřivě křižoval všechny severní lesy a s ním přicházely smrt a zkáza. Jedině Mablungovi se podařilo vyváznout a donést Thingolovi zprávy o Carcharasově příchodu. Ať již to bylo dílem osudu nebo snad mocí silmarilu, jenž vlka trýznil v útrobách, nezastavila jej Melianina kouzla a vtrhl do nedotčených lesů Doriathu a široko daleko šířil děs a zmar.

Právě když utrpení Doriathu dosahovalo vrcholu, vrátili se do říše Lúthien, Beren a Huan. Thingolově srdci se rázem ulevilo, ale neprojevil žádnou lásku Berenovi, jehož považoval za příčinu všech svých útrap. Když se dozvěděl, jak Beren unikl Thûovi, velmi to na něj zapůsobilo, ale poté řekl: „Smrtelníku, co tvá výprava a přísaha, již jsi mi dal?“ Na to Beren odvětil: „Právě v tuto chvíli svírám silmaril v ruce.“

I řekl Thingol: „Ukaž mi ho.“ A Beren na to: „To nemohu, neboť má ruka není zde.“ Načež králi vyjevil celý příběh a objasnil, proč je Carcharas tak nepříčetný, a jeho statečná slova obměkčila Thingolovo srdce, stejně jako mladíkovo sebeovládání a veliká láska, kterou mezi svou dcerou a tímto hrdinným člověkem rozeznal.

Nato naplánovali hon na Carcharase. Družina čítala Huana, Thingola, Mablunga, Belega a Berena a nikoho dalšího. Tento smutný příběh je zde nutno podat v krátkosti, neboť je v úplnosti vyprávěn jinde. Když vyrazili, Lúthien zůstala doma a strachovala se. A po právu, neboť Carcharas byl sice zabit, ale ve stejnou hodinu zemřel i Huan, který položil život za záchranu Berena. Ten byl sám smrtelně raněn, žil však dost dlouho na to, aby vložil silmaril do Thingolovy ruky, když jej Mablung vyřízl vlkovi z břicha. Poté již nepromluvil, než ho s Huanem po jeho boku donesli zpět před brány Thingolových síní. Tam se s nimi pod bukem, na němž byla prve uvězněna, Lúthien znovu shledala a líbala Berena, dokud se jeho duch nevypravil do síní čekání. Tak skončil dlouhý příběh o Lúthien a Berenovi. Nicméně *Zpěv Leithian*, propuštění z pout, dosud zcela odvyprávěn nebyl. Neboť se dlouho traduje, že Lúthien rychle chřadla a chřadla, až se zcela vytratila ze světa, ačkoliv některé písně říkají, že Melian povolala Thorondora, jenž ji živou

donesl do Valinoru. A ona vstoupila do Mandosových síní a zapěla mu tak krásný příběh o dojemné lásce, že ho pohnul k soucitu, jako již nikdy potom. Přivolal Berena, a tak, jak Lúthien přísahala, když jej líbala v hodině jeho smrti, znovu se setkali za západním mořem. A Mandos jim dovolil odejít, ale pravil, že Lúthien se stane smrtelnicí stejně jako její milý, že znovu odejde ze světa po způsobu smrtelných žen a že z její krásy zbude jen vzpomínka v písni. A tak se stalo. Ale také se říká, že jako náhradu Mandos Berenovi a Lúthien propůjčil dlouhou dobu života a radosti a oba se toulali krásným Beleriandem, neznajíce žízně ani chladu, a žádný smrtelník pak už s Berenem ani jeho chotí nepromluvil.

Příběh ve znění Zpěvu Leithian *až k jeho závěru*

Podstatná část básně navazuje na poslední verš sedmé části *Zpěvu Leithian* (Však ani jeden slovem nezradil, str. 101). Úvod osmé části odpovídá velmi zhuštěnému líčení z *Quenty* (str. 62) o zajetí Lúthien v Nargothrondu v rukou Celegorma a Curufina, z nějž ji vysvobodil Huan; vypráví se tu i o jeho původu. Ornamenty přerušující text označují začátek dalšího zpěvu; Zpěv IX od verše 329, Zpěv X od verše 619, Zpěv XI od verše 1009, Zpěv XII od verše 1301, Zpěv XIII od verše 1603 a konečně Zpěv XIV od verše 1939.

V obojcích stříbrných se proháněli
psi valinorští. Laň i kanec smělý,
liška a zajíc, srna rozechvělá,
ve stínu hájů zelených tam dlela.
Oromë božským pánem byl těch lesů 5
a víno silné proudilo při kvasu
v síních, kde písně o lovu se pěly.

Gnómové dávno již mu jméno dali
bůh Tavros, z jehož rohu troubilo se
přes hory daleké v tom dávném čase. 10
Jediný z Bohů láskou k zemi lnul,
ještě než nad ní prapor rozvinul
se Sluncem Měsíc; a své bujné oře
okoval zlatem. Za širým tím mořem
houf jeho psů, to nesmrtelné plémě 15
běhalo v lesích nejzazší té země:
šedaví lovci obratní a hbití,
černí zas urostlí a ostražití,
žíhaní letěli jak šípů střely,
bílým jak hedváb kožichy se skvěly 20
a v jejich štěkotu hlas zvonů zněl,
jenž z valmarských se nesl citadel;
démanty očí jejich blýskaly se,
jakmile kořist zavětřili v lese,
pak vyrazili, zuby ceníce, 25
ku zdaru Tavrosovy štvanice.

V lesích, kde Tavros vládnul jako král
kdys Huan coby štěně běhával.
V rychlosti žádný nerovnal se jemu,
i zachtělo se bohu Oromëmu 30
jím podarovat Celegorma, svého
v honitbě souputníka oddaného.

V dobách, kdy Fëanor se svými syny
na Sever vypravil se, žádný jiný
pes zdejší neopustil Světla Zem, 35
jen Huan směle hnal se za pánem
vstříc šarvátkám, v nichž udatně se bil,
a v bitvách smrtelných se osvědčil.
Nejednou pána bránil v lité seči,
s vlky i skřety před ostrými meči. 40

Vlkodav šedý, lítý, vytrvalý
z něj stal se. Zraky jeho pronikaly
svým leskem skrze mlhu, temný stín,
vyrážel do strání i do bažin,
v šelestném listí, v prašných písčinách 45
i měsíc starý našel stopy pach.
Při lovech Beleriand zcestoval,
však nejraději vlkům z hrdla rval
dech ďábelský a štěkot chroptivý.
Hrůzou se třásly smečky Thûovy. 50

Nebylo kletby, tesáku ni střely,
ni jedu zákeřného, jimž by čelit
nesvedl. Neboť dávno osud znal,
jenž byl mu utkán. Přesto nelekal
ho úděl slavný, dobře známý všem: 55
že tehdy rozžehná se s životem,
až s nejsilnějším z vlků, co kdy žili,
v souboji lítém změří svoje síly.

Tam v dálavách za řekou Sirion
slyš Nargothrondu náhlý ruch a shon! 60
Vzdálené troubení se nese krajem,
a psi už vyrazili napříč hájem.

Čas lovu přišel, probudil se les.
Komuže honby zachtělo se dnes?
Hle! bratři Celegorm a Curufin 65
psi vypustili, bodli do slabin
své koně, vzali oštěp, vzali luk.
A zrána jarý zazněl rohů zvuk.
Thûovi vlci nějakou již dobu
zas v širém kraji šířili svou zlobu. 70
Zlé jejich zraky plály za noci
tam za Narogem temně bouřícím.

To temný jejich pán by dozajista
rád zvěděl, co se v gnómské říši chystá,
co elfští páni přede všemi tají, 75
co jilm a buk v svém stínu ukrývají.

Curufin pravil: „Dobrý bratře, věz,
že obávám se. Jakou temnou lest,
to značí? Volně nechť se netoulají
tvorové zlovolní zde v našem kraji! 80
Ba radostí mi srdce bude plesat,
až na smrt poženeme vlky z lesa."
Pak nahnul se a tiše pošeptal,
že Orodeth moc vtipu nepobral;
král odešel a dávno tomu jest, 85
již dlouho o něm nedostali zvěst.

„Vždyť ku prospěchu bylo by ti jen
zvědět, zda mrtev jest či svoboden;
bys muže své a vojsko shromáždil.
‚Jdu na lov,' prohlásil bys za svůj cíl 90
a lid by věřil, že se pozdržíš
Narogu vod, však zamířil bys spíš
do lesů zvědět více. Pokud štěstí
či osud slepě svede vaše cesty,
uzříš, jak nazpět ve svých stopách kráčí, 95
a v rukou třímá silmaril – pak stačí
mi mlčet. Jedno tobě (či spíš nám)
po právu patří: světla drahokam;
to druhé – trůn – si dobudeme zas.
Krev rodu nejstaršího proudí v nás." 100

Celegorm poslouchal. Nic neříkal,
však s velkou družinou se na lov bral;
při radostném tom ryku jal se hned
i Huan, psů všech vůdce, razit vpřed.

Lovíce tři dny v mlází, v údolí, 105
Thûových vlků mnoho pobili,
a hlavy šedé, jejich kůže brali
jako svou kořist, na útěk je hnali
dál bez umdlení směrem na západ,
až k hranicím, kde končí Doriath. 110

Zazněly rohy, vzdálený kdes křik
se lesem nes, i bojovných psů ryk.
Lov započal se. Kdesi v houštinách
jí roztančené nohy nesl strach,
jak ptáče v bázni na útěk se dala, 115
netušíc, proč se honba pořádala.
Daleko od domova, ztrmácená,
bledá jak duch, prchala pryč žena,
již srdce ponoukalo neustále
zemdlených údů nedbat, běžet dále. 120

Své oči upřel Huan k tomu stínu,
jenž mihotal se, letěl přes mýtinu,
jak mlha večerní dnem polapena,
údolím utíkala ustrašená.
Zavyl a napjal mocné údy své, 125
by zmocnil se té zvěře podivné.
Na křídlech strachu jako motýl štvaný
plachtícím dravcem pronásledovaný
přelétla sem a popolétla tam,
zůstala stát, zas vzlétla k výšinám – 130
však marně. U stromu pak naposled
po dechu lapala. On skočil vpřed.
Nic z kouzel, která strachy zašeptala,
nic z elfských tajemství, jež dobře znala,
či ukrývala v stínu pláště svého, 135
však nezkrotilo lovce ukrutného,
neb nesmrtelné plémě jeho staré

nesvedl nikdo zmásti kouzel čarem.
Jen Huan ze všech tvorů jediný,
jež potkala kdy, kouzlům dívčiným 140
nepodleh. Však před její krásnou tváří,
líbezným hlasem, popelavou září
očí jak hvězdy od slz zastřených
i statečný pes v bázni krotce ztich.

Zlehka ji zvedl, lehce břímě nes. 145
Celegorm podivil se, jakou dnes
mu honba zvláštní kořist nadělila.
„Je-li to temná elfka nebo víla?
Ty jsme se přece lovit nevydali.
Kohos to přines, Huane můj milý?“ 150

A dívka pravila: „Toť Lúthien,
jež slunné lučiny i stromů klen,
kde Lesní elfové dlí, opustila
a cesty spletité si vyvolila,
jež z Doriathu zavedly mě sem, 155
kde jistotou je strach a naděj snem.“
Sinavý plášť jí z ramen tiše spad,
v bělostné říze zůstala tam stát.
Démanty stříbřitých hvězd blyštily se,
jak jitřní slunce třpytící se v rose, 160
háv modrý skýtal zlatých květů krásu.
Kdo na ni hledět mohl bez úžasu?
Curufin patřil na ni drahný čas.
Vonnými květy propletený vlas,
tvář elfsky krásná, pružných údů lad 165
dech vyrazil mu, němě zůstal stát
nad jejím půvabem. „Ó vznešená,
ó sličná dívko, jaký důvod má,
že temným krajem bloudíš opuštěná?
Pod tíhou války Doriath snad sténá? 170

Jaký zlý osud stih jej, pověz hned!
Neboť tvé kroky šťastný osud ved.
Přátele našlas v nás,“ děl Celegorm
a z elfské dívky nespustil svůj zor.

Ač její příběh byl mu z části znám, 175
Lúthien nespatřila lstivý klam
v úsměvu tváře se mu zračící.

„Kdo tedy jste, že panskou štvanici
zde v lesích šalebných jste pořádali?“
Na to pak bratři odpověď svou dali, 180
jež vlídná zdála se jí. „Jasná paní,
jak služebníci před tebou se klaní
dva páni nargothrondští, již tě prosí,
bys u nich odpočinku dopřála si
a na čas na svá hoře zapomněla. 185
Však nyní příběh svůj nám pověz zcela.“

Tak Lúthien jim počne vyprávět,
jak chrabrý Beren smělé boje ved,
jak ze severu osudem byl hnán
do hájů doriathských, jejichž pán 190
a otec její, Thingol, uložil
mu za úkol zpět přinést silmaril.
Ač bratři dávno její příběh znají,
dál pohnutky své před ní ukrývají.
Zlehka jim útěk v plášti kouzel líčí, 195
však slova v hrdle vzpomínkou se příčí
na záři hvězd a slunný Doriath,
než Beren na pouť svou se musel dát.

„Je třeba pospíšit si, páni moji!
Zahálka počká, čas však nepostojí. 200
Vězte, že uplynulo mnoho dní

od chvíle, kdy v svém náhlém vidění
Melian zřela s hrůzou ve tváři,
jak Beren trpí v temném žaláři.
Ponurým kobkám vládne vlků pán, 205
tam kletbou zlou či knutou utýrán
i Beren v krutých poutech chřadne dál,
pokud jej horší osud nepotkal –
buď mrtev je, či po své smrti volá.“
Utichla dívka, žalem oněmělá. 210

Curufin tiše svému bratru praví:
„Tak tedy jisté máme nyní zprávy,
jaký že osud Felagunda stih,
proč náhle smečky vlků Thûových
široko daleko se prohánějí.“ 215
Pak bratru děl, co říci k prosbě její.

„Jak vidíš, paní má,“ řek Celegorm,
„my temné šelmy hnáti za obzor
se vypravili s četnou družinou,
jež nezná strachu; však jen silou svou 220
ostrovní pevnost bychom nedobyli.
Smělí jsme dosti, ne však pošetilí.
Hleď! Naší honby ihned zanecháme,
nejkratší cestou k domovu se dáme
a tam se budem moci rozhodnout, 225
jak Berena lze vysvobodit z pout.“

K Narogu s dívkou bratři vyrazili,
byť meškat bála se jen malou chvíli,
a v srdci tížily ji pochybnosti,
že bratři nepohání koně dosti, 230
a v nitru zlý jí usadil se pocit.
Kupředu Huan letěl dnem i nocí,
v rozpacích ohlížel se bez ustání.

Proč otálejí nargothronští páni?
Což Celegorm snad důvod k tomu má? 235
Proč Curufin svůj pohled upírá
pln touhy k Lúthien? Pes přemítal
a srdce jeho plnil strach a žal,
neb pocítil, že kdesi ze hlubin
času se noří dávné kletby stín. 240
Berena litoval, též Lúthien,
a s nimi Felagunda zvučných jmen.

Nargothrond rozzáří pak loučí jas,
zní hudba, uchystán je hodokvas.
Lúthien, vězněná jak v kleci ptáče, 245
však místo smíchu usedavě pláče.
Kouzelný plášť jí bratři uloupili,
by neutekla v nestřežené chvíli;
nic nebyl platný nářek její tklivý,
oslyšen zůstal dotaz úpěnlivý. 250
A všichni, zdálo se, že zapomněli,
na ty, již daleko kdes v kobkách dleli,
trýzněni v mukách, která těžko snést.
Pozdě jí došla bratrů zrádná lest.
Již nikdo neskrýval, že do zajetí 255
Lúthien v Nargothrondu uvrhli ti,
již na Berenův osud málo dbali
a zdráhali se pomoct svému králi
z Thûových cel, neb jeho smělý cíl
v nich nenávist a zlobu probudil, 260
k nimž dávná přísaha je zavázala.
Orodreth tušil, jako jeden z mála,
jaký to temný úklad vzchází as:
Ponechat králi smrti napospas,
pak lstí či silou uzmout jeho zem 265
a přízní rod svůj spojit s Thingolem.
Však nesved zhatit jejich temné plány,

neb syny Fëanora za své pány
lid snáze přijal nežli Orodretha,
na jehož rady žádný již se neptal, 270
nad hanbou každý oči přivíral,
nechtěje znát, jak trpí jejich král.

U nohou sedával jí den co den,
za nocí hlídal lože Lúthien
pes nargothrondský, jenž se Huan zove. 275
A ona častujíc ho něžným slovem
pravila: „Huane, ty nejrychlejší
ze psů, již běhali po zemi zdejší,
jakým zlem stiženi jsou tvoji páni,
že na mé slzy hledí s pohrdáním? 280
Barahir kdysi nade všechen lid
dobré psy doved milovat a ctít.
Když Beren na Sever se cestou dal,
jak psanec samoten se ubíral,
přátelsky však mu byli nakloněni 285
tvorové srstnatí i opeření
a duchové, již jako zkamenělí
v horách a poušťích stále ještě dleli.
Teď však už nikdo z elfů, lidí neví,
kdo že to směle čelil Morghotovi 290
a do područí jeho neupad,
jen dcera Melian naň myslí snad.“

Huan nic neřekl. Však od té chvíle
Lúthien střežit jal se zarputile,
tesáků jeho Curufin se bál 295
a svých snah dívku uchvátit se vzdal.

Když jednou večer mlhy halíce
podzimní nocí záři měsíce,
lucerny sinalé, mdlý hvězdy svit

plujícím mračnem stihly obestřít, 300
v korunách stromů uhnízdil se mráz,
neb zimy roh již ohlásil svůj čas,
hle! Huan zmizel. Pročež Lúthien
v obavách uléhala den co den,
až jedné noci, tiché jako hrob, 305
kdy spánek ruší běsi bez podob,
na stěnu náhle dopad temný stín.
K jejímu lůžku kdesi ze hlubin
noci se její kouzelný plášť snes.
Když spatřila, že obrovitý pes 310
se u zdi krčí, strachem zachvěla se,
on ale promluvil svým zvučným hlasem.

Tak pravil Huan, který nikdy dřív
z úst slova nevypustil jaktěživ,
jen dvakrát poté mluvil elfskou řečí: 315
„Má paní, již by mělo blahořečit
veškeré lidské, elfské pokolení,
tvorové srstnatí i opeření,
radím ti dobře – Vstaň a poleť ven!
Oblékni plášť! A nežli nový den 320
zavítá v Nargothrond, my dávno již
k Severní hrozbě budem cestou blíž.“
Pak Huan využil té sdílné chvíle
vyložit plán, jak dosáhnouti cíle.
Lúthien v úžasu mu naslouchala 325
a něžným pohledem ho častovala.
Kol krku ovinula paže ladné
v přátelství, které nikdy neuvadne.

❧

Tam na Ostrově, všemi opuštěni,
v kobkách, jež nepoznaly světlo denní, 330

dva souputníci, strastí zesinalí,
do noci kalné zraky upírali.
Zbyli tu sami, z jejich družiny
naživu nezůstal byť jediný.
Z těch deseti tu leží pouhé kosti, 335
jež důkazem jsou jejich oddanosti.

Po čase Beren praví Finrodovi:
„Naděje zbývá jen, že všechno povím
a Čaroděj se dozví, kdo jsme zač.
Pak možná ušetří tvůj život radš, 340
mne škoda není, smrti půjdu vstříc.
Slib dávný z tebe snímám, neboť víc
než dost již kvůli mně jsi vytrpěl."

„Ach, Berene, tos ještě nezvěděl,
že Morgothových slouhů sliby plané 345
jsou lehčí nežli dým, jenž s větrem vane?
Na trýzeň temných muk přec nemá vliv,
zda Thû zví našich jmen či nikoliv.
Ba co víc, vpravdě krutěji nás ztýrá,
jen sezná-li, že syna Barahira 350
zde s Felagundem drží v zajetí,
a v horších mukách budem úpěti,
pokud bys jeho slouhům vyzradil,
jaký že měla naše cesta cíl."

V tom kobkou rozlehl se krutý smích. 355
„Je vskutku mnoho pravdy v slovech tvých,"
hlas ďábelský zněl temnotou jak zvon.
„Co na tom, kdyby umřel tady on,
smrtelný psanec. Avšak slavný král,
elf nesmrtelný, ten by přetrval 360
víc, nežli člověk mohl by kdy snést.
Až k Nargothrondu doputuje zvěst
o zdejších hrůzách, možná, že tvůj lid

zatouží krále svého vykoupit
zlatem a šperky, vlastním ponížením. 365
Třebas však pyšný Celegorm si cení
jen vpravdě pramálo tvé brzké spásy
a korunu i zlato ponechá si.
Než s vámi hotov budu, kdopak ví,
zjistím i důvod vaší výpravy. 370
Nač Beren déle měl by umírat?
Nadešel čas, kdy vlka jímá hlad."

Čas krokem liknavým šel dál a dál,
vtom očí pár se ve tmě zablýskal.
Beren jen mlčky hleděl smrti v líc, 375
neb z řetězů se nevyprostil nic.
Slyš! znáhla řinčení jak na bojišti,
železo úpí, okovy se tříští.
Přepevná pouta v okamžení strhne,
na šelmu vlčí zuřivě se vrhne 380
Felagund věrný, k boji odhodlán,
tesáků nedbaje ni smrtných ran.
Řev ukrutný se ozýval co chvíli,
když ve tmě vlekle spolu zápasili,
v sevření pevném vlčina se chvěla 385
a hrůzná morda rvala maso z těla,
zatímco Beren naslouchal jen tiše,
jak vlčí netvor chroptí, sotva dýše.
Po chvíli zaslech z temnot čísi hlas:
„Můj život krátí se, již přišel čas. 390
Chladné mám údy, srdce zlomené.
Buď sbohem, příteli můj, Berene!
Co naplat, že jsem pouta rozlomil,
když umdlévám a nezbývá mi sil,
když v hrudi po tesácích rána zeje. 395
Má duše nyní k odpočinku spěje
vstříc síním bezčasým, v nichž Bozi dlí,

pod Timbrentingem, kde se moře skví.“
Tak skonal elfský král, byv raněn v boji,
však jeho činy dosud v písních žijí. 400

Tam Beren leží vězněn v temnotách,
žal jeho nezná úzkost ani strach.
Hlas čeká, kročeje, své smrti stín.
A kolem ticho vane ze hlubin,
jak z hrobů dávných králů zašlé slávy, 405
již v spánek věčný složili své hlavy
tlejíce mlčky v chladných mohyl zdích
pod rovem písku a let nesčetných.

V tom ticho puklo, roztříštěné v třpyt
stříbřitých střepin. Beren slyšel znít 410
zpěv rozechvělý, který září svou
pronikal kamenem i temnotou,
tvrz zdolal, mříž i černokněžnou moc.
A nad vězněm se rozprostřela noc,
báň plná hvězd, vzduch prosycený vůní, 415
šumění listů vůkol tichých tůní,
v korunách stromů slavík píseň pěl
a dotek štíhlých prstů rozezněl
pod lunou violy a flétny hlas,
zatímco dívka nevídaných krás 420
tam v hloubi lesa mimo hluk a vřavu
tančila ladně v mihotavém hávu.

Však jiný nápěv rozlehl se lesem,
když Beren zvonivým a zvučným hlasem
pěl ve snách o Severu, o bojích, 425
o bitvách, při nichž na rtech tuhne smích,
o smělých činech, z nichž se tají dech,
hrdinných výpravách a pochodech;
stříbrný skvěl se dosud nad tím vším

plamen, kdys zvaný Keřem ohnivým, 430
sedmera hvězd, jež Varda zavěsila
nad klenbou Severu, by probudila
naději v srdcích, světlo v temné noci,
těch, kteří čelí Morgothově moci.

„Ach, Huane! Já píseň slyším znít, 435
jako by z hlubin chtěla prorazit,
ta hudba mocná je, však vzdálená,
přesto v ní poznala jsem Berena,
neboť ten nápěv od něj slýchala jsem
častokrát v snách, když bloudila jsem lesem.“ 440
Tak tiše pravila psu Lúthien.
V noci pak zahalena v plášti svém
u mostu nářků usedla a pěla,
až od základů po věže se chvěla
ta pevnost černá. Hrdla vlkodlačí 445
zavyla. V úkrytu již Huan vrčí
a uši napíná své ostražitě,
přichystán s vlky svádět boje líté.

Zpěv dolehl až k uším Thûovým,
jenž zahalen v svém plášti jako stín 450
ve věži elfskou píseň poslouchal,
a smál se, neboť nápěv také znal.
„Hle! Lúthien! Ty pomatené dítě,
co maně vehnalo tě do mé sítě?
Morgothe! na odměnu nárok mám. 455
Štědře mi zaplatíš, až drahokam
ten skvělý v síň tvou vbrzku donesu ti.“
Poslové jeho kupředu již letí.

Dál pěla Lúthien. V tom ode bran
stín kradl se; hle, krvelačný chřtán 460
s jazykem rudým za dívkou se bral.

Ač strachy chvěla se, přec pěla dál.
Stín z temnot vyrazil a vrh se vpřed,
zachroptěl, k zemi pad a zhynul hned.

Však jiný zjevil se v tom okamžení, 465
vlk střídal vlka, dokud zardoušeni
nepadli všichni, pročež žádný již
se nevrátil, by pověděl, že skrýš
tam svou má jakás lítá bytost lstivá
a pod mostem že hromada se skrývá 470
šedivých těl, jež Huan zahubil.

Po mostku pomalu se připlížil
stín hrozivý, jak zášti plný mrak,
zuřivý, krutý, arciť vlkodlak:
Draugluin sivý, mocný vlků pán, 475
nečistých tvorů vévodou byl zván,
u trůnu Thûova vždy sedával,
na tělech elfů, lidí hodoval.

Boj vypukl a posud tichou nocí
neslo se vytí, štěkot srdce rvoucí. 480
Vlkodlak zasténal a prchal zpět
k temnému trůnu, sláb a plný běd.
„Toť Huan," pravila ta stvůra kletá,
než vydechla a bylo po ní veta.
„On v boji padne, až své změří síly 485
s tím nejsilnějším z vlků, co kdy žili,"
přemítal Thû pln pýchy své a zloby,
jsa přesvědčen, že jej ten titul zdobí.

Do noci stín se vplížil kosmatý,
ohyzdný od hlavy až po paty, 490
v pohledu jeho z dáli bylo znát
hltavou hrůzu, nezkojený hlad,

však vlčích očí žádný jiný pár
nenesl v sobě ukrutnější žár.
Větší měl údy, lačnější měl chřtán, 495
sanici otevřenou dokořán,
tesáků ostrých řady jeduplné,
dech otravný, jenž z dravé tlamy vane.
Lúthien ztichla, píseň odezněla,
zář jejích očí náhle potemněla 500
strachem ze smrti, trýzně, utrpení
hrozivých muk, před nimiž skrytu není.

Tak v hávu vlčím stanul před ní Thû;
od jihu dálav k branám Angbandu
tak přeukrutnou šelmu nikdy dřív 505
smrtelník neuhlídal jaktěživ.
Vtom vpřed se vrh a k dívce přiskočil,
zatímco Huan ve stínu se skryl.
Lúthien k zemi klesla ve mdlobách,
však smysly znavené jí zjitřil pach, 510
jenž z vlčí tlamy smrduté se nes.
Z jejích rtů malátný se ozval hles
a pláštěm netvora se dotkla krátce.
Thû rázem ohromen se zapotácel.
Z úkrytu svého Huan vyrazil, 515
vlk uskočil a zavyl ze všech sil,
až rozechvěl se nebes hvězdný háv.
Nazpět hnal vlků pána vlkodav.
Skok stíhá pád a štěkot střídá vytí,
do sebe zaklesnou se soci lítí, 520
naoko na útěk se obrátili,
pak hned zas útočí. A v jednu chvíli
tesáky zaryjí se v hrdlo vlčí
a Huan rdousí, seč mu síly stačí.
Boj ale trvá, dalek rozuzlení. 525
Thû střídá tváře, podobu svou mění:

z netvora démon, z vlka červ se stane,
však ze sevření již se nevymane.
Nebylo kletby, tesáku, ni střely,
ni jedu zákeřného, jimž by čelit 530
nesvedl Huan, nejsmělejší z tvorů,
jež lovili kdys v lesích Valinoru.

Pod temnou věží v křečích skomíral
zlý přízrak, jemuž Morgoth život dal;
Lúthien vstala, celá rozechvělá, 535
na muka jeho pohlédla a děla:

„Démone ohavný a nečistý,
přízraku zlobný, plný lži a lsti,
zde záhy zhyneš, duše tvá pak již
jen jektat bude, až se navrátíš 540
k pánovi svému, jehož hněv a zlobu
okusíš hned, neb do temného hrobu,
jímž zemské hlubiny se záhy stanou,
nahého srazí tě a na kolenou
tam věčně třást se budeš, úpět, hekat – 545
věz, taký osud dojista tě čeká,
pakliže nepovíš mi bez meškání,
jaké že kouzlo tvrz tvou temnou chrání,
a nevydáš mi klíč od jejích bran.“

U konce s dechem, zcela udolán, 550
Thû zradiv pána svého, pokořen
konal, jak kázala mu Lúthien.

Na mostě rozzářil se plamen bílý,
jako by z nebes hvězdy sestoupily
a žhnuly vůkol světlem chvějivým. 555
Hle! Dívka paže rozpřáhla a svým
zvolala hlasem, jenž se v dáli nes

jak elfské trubky tón; však ještě dnes
ozvěnou lze jej leckdy uslyšet,
když v ticho zahalí se celý svět. 560

Pak slunce vyhouplo se nad obzor –
temena šedá mlčenlivých hor.
Vrch zachvěl se a skály rozevřely,
v prach rozpadly se věže citadely,
most puknul, zhroutil se a zbyl jen dým, 565
jenž vál nad Sirionem zpěněným.

V tom jitřním šeru jako sivý stín
vylétlo hejno sov a z rozvalin
nečisté prchlo netopýrů plémě
hledajíc nový úkryt kdesi ve tmě 570
pochmurných korun Lesa černé noci.
S kňučením rozprchli se kvapem vlci
jak bledé přízraky. Však z trosek tvrze
postava noří se, byť sotva leze,
a za ní další siné vidět tváře: 575
to vězni na svobodu ze žaláře
jdou ztěžka plni bázně, překvapeni,
vstříc světlu dne a konci utrpení.

Kdos náhle vykřikl jak lítý běs,
hle, upír mocný ze země se vznes 580
a z křídel kanula mu smolná krev;
vtom Huan shledal, patře na ten zjev,
že v drápech svírá vlčí mršinu –
tak prchnul Thû, by kdesi ve stínu
Taur-na-Fuin tvrz a trůn si zbudoval. 585

Nejeden vězeň málem štěstím lkal
a s díky vzýval radostný ten den.
S úzkostí seznala však Lúthien,

že Beren nezjevil se mezi nimi.
I pravila: „To mezi zesnulými, 590
ach, Huane, po vší té strasti snad
milého svého musím uhlídat?“

Bok po boku se přes Sirion brali,
a kámen za kamenem přelézali.
Jej našli, jak se nad Finrodem sklání 595
a ztrátou zkroušen nemá ani zdání,
čí kročeje se u něj zastavily.

„Ach, pozdě málem, Berene můj milý,
já nalezla tě!“ lkala Lúthien.
„Však běda spatřit tě, jak zkormoucen 600
zde marně truchlíš, přemožený žalem,
nad mrtvým tělem vznešeného krále.
S radostí dříve jsme se vídávali,
však nyní zrak náš hořké slzy kalí!“

V tom hlase zazněl teskný lásky tón, 605
jenž Berena z chmur probudil, a on,
když viděl, kdo jej přišel zachránit,
v svém srdci objevil zas dávný cit.

„Ach, dívko líbezná, ó Lúthien,
tvou krásou neoplývá žádná z žen, 610
ó nejmilejší ze všech elfská dcero,
jaká to lásky moc tě vedla v šero
doupěte děsu, za mnou, do hlubin!
Tvé paže ladné jsou, vlas tvůj jak stín,
v něm květy vinou se ti vůkol skrání 615
a světlo padá do tvých hebkých dlaní.“

V náručí zemdlela mu Lúthien,
jakmile ohlásil se nový den.

❧

Elfové dosud v písních vzpomínají,
v řeči, jíž mnozí dnes už sotva znají, 620
na to, jak Beren s Lúthien se brali
po březích Sirionu. Střásli žaly
a lehce toulali se po lesích,
jež veselostí plnil jejich smích.
Přestože zima nad vším ještě vládla, 625
tam květy pučely, kam cestou kladla
své nohy Lúthien. Tinúviel!
Zpěv ptáků krajinou se rozezněl
zas pod hřebeny zasněžených skal,
kudy se poutníků pár ubíral. 630

Dál od ostrova putovali spolu,
však před tím zanechali na vrcholu
rov zelený; tam kámen na mohyle
tyčí se nad hrobem, v němž kosti bílé
Finroda Felagunda spočívají 635
až do doby, kdy v onom dálném kraji
čas hory ohlodá a rozdrtí,
či moře vzbouřené zem pohltí;
a Finrod opustiv svět slz a sporů
dlít bude šťasten v lesích Valinoru. 640

Již nikdy nevrátil se domů z cest,
však Nargothrondem šířila se zvěst,
že král jest mrtev, Thû byl přemožen,
z pevnosti temné zbyly ruiny jen,
neb do země se nyní navraceli 645
ti, kteří dosud v temných kobkách mřeli.
Když jako stín se Huan vplížil zpět,
pán jeho zlostně do tváře mu vmet
hněvivá slova místo vděčných chval,
však pes, ač nerad, věrný zůstával. 650

Celegorm marně domáhal se klidu,
když v síních sborem zazněl nářek lidu,
proč ani jeden Fëanorův syn
na pomoc králi nepřišel a čin
ten smělý za ně dívka vykonala? 655
„Smrt zrádným pánům!“ každá ústa přála.
Krev žádal si ten přelétavý lid,
jenž prve nechtěl s Felagundem jít.
„Království má teď jediného pána,“
děl Orodreth. „A z moci, jež mi dána 660
jest, zapovídám prolévati krev
spřízněnou. Pocítit dám mocný hněv
však bratřím, kteří můj rod zneuctili –
v mém domě nezůstanou ani chvíli.“
Celegorm předveden se pyšně nes, 665
ve tváři odpor, v očích podlý lesk,
a s úsměvem, jež faleš v sobě skrývá,
Curufin křivil svoje ústa lstivá.

„Z království svého vypovídám vás,
jen do setmění máte ještě čas, 670
než do vln moře zanoří se den,
opustit Nargothrond. Nechť zavržen
je navždy Fëanorův rod a plémě,
navěky ztrativ přízeň této země.“

„Tvá slova vryla se nám do paměti,“ 675
jen krátce odvětili bratři kletí,
pobídli koně své i vazaly,
kteří jim dosud věrní zůstali.
Zaduněl roh a vyrazili vpřed,
v hněvu se ani neohlédli zpět. 680

Mezitím k Doriathu v onom čase
krok co krok poutníků pár ubíral se.

V korunách stromů šeptal tiše mráz,
na loukách sivých zněl však jiný hlas,
neb s písní na rtech dál šli cestou svou 685
pod klenbou bledavou a mrazivou.
U Mindeb oba zakrátko již stáli,
třpytivé říčky, jež se z kopců valí
na západ od hranic, kde Melian
pás kouzlem stvořila, jenž ze všech stran 690
zem Thingolovu chrání tak, že ten,
kdo vstoupí, v sítích skončí oblouzen.

Tam Beren pocítil v svém srdci žal.
„Tinúviel, ach, běda," zaplakal.
„Dozněla píseň, loučení je čas, 695
teď cestou svou jít musí každý z nás."

„Zas dát ti sbohem? Řekni, pročpak jen,
když krásný, nový svítá nám teď den?"

„Neb zdejší mez ti dáno překročit
a najít opět domov svůj a klid, 700
ve stínu milých stromů kráčet zas,
kde ochrání tě Melianin pás."

„Mé srdce plesá, když zas v dáli zřím
nádherné stromy s listím šedavým,
jež v Doriathu netknutém ční k nebi. 705
Přesto však srdce mé již nevelebí
zem zdejší, jež mi přestala být milá,
neb domov svůj i rod jsem opustila.
Pakliže samotná mám dále jít,
já list ni stéblo trávy nechci zřít! 710
Šeré jsou břehy Esgalduiny,
temné a mocné její hlubiny!
Proč nyní měla bych zde usednout

u jejích nekonečně teskných vod,
kde píseň tichá je a naděj planá, 715
s bolestí v srdci, žalem udolána?"

„Neb osud pouze jedné cesty skýtá
a Beren v Doriath již nezavítá,
i kdyby svolil tak tvůj otec král.
Já Thingolovi směle přísahal, 720
když činem návrat můj tak podmínil:
že přinesu mu třpytný silmaril
a poklad touhy své tak vysloužím si.
Já takto o Lúthien pravil kdysi:
‚Ten klenot krásy nesmí jiný mít! 725
Od slibu nesvede mě odradit
ni oheň Morgothův, jenž hrůzou čiší,
ni moc všech veleslavných elfských říší.‘
Ač loučení je trpké jako jed,
své slovo, běda, nemohu vzít zpět." 730

„Lúthien tedy nevrátí se domů
a v slzách bloumat bude loubím stromů,
nedbajíc nástrah, nepozná již smích.
A kdybys na cestách těch zoufalých
jí zapověděl kráčet po svém boku, 735
sama se vydá po stopách tvých kroků –
s Berenem shledá se zas v srdci svém,
zde na zemi či břehu šeravém."

„Tvá slova, Lúthien, ach, nejsmělejší,
loučení trpké činí mnohem těžší. 740
Dík lásce tvé jsem opět svoboden,
však její světlo, líbezné jak den,
již nikdy více nezavedu tam
do kraje děsu, v ústret temnotám."

Nadarmo prosila ho Lúthien. 745
„Již nikdy víc!" děl Beren rozechvěn.
V tom oba zaslechli kdes blízko hřmět.
Hle, jako vichr náhle by se zved,
to Curufin a Celegorm vpřed hnali,
až dusot kopyt rozléhal se v dáli. 750
Na sever poháněl je spěch a zloba,
jak běsi řítili se bratři oba
cestou, kde nevládl by les ni stín,
minuvše Doriath i Taur-na-fuin.
Pak namířeno měli na východ 755
k průsmyku Aglonu, kde jejich rod
pod Himlingem, jenž do vysoka čněl
jak němá hlídka, odpradávna dlel.

Když dvojici na cestě tam zřeli stát,
hned s křikem počali své koně štvát, 760
jako by na kopytech roznést chtěli
ty dva, již láskou k sobě zahořeli.
Vpřed oř se řítí, dýme od nozder,
v tom jezdec uzdou trhne, změní směr.
Curufin napřáhne svou mocnou paži, 765
Lúthien zdvihne, v sedle už ji drží –
však příliš brzy by se radoval,
neb zuřivěji nežli sám lví král,
zákeřným ostřím šípů rozeštvaný,
a výše nežli jelen lovci hnaný, 770
vyskočí Beren, na koně se vzpíná
a s křikem vrhá se na Curufina.
Kol krku hbitě ovine mu paže
a jako pevnou smyčkou hrdo sváže,
až z koně jezdec padá střemhlav k zemi, 775
kde oba zápasí dál mlčky, němí.
Opodál v mdlobách leží Lúthien,
nad hlavou větve holé, nebe klen.

I pocítí Gnóm sílu Berenovu,
když v jeho sevření se octne znovu – 780
zardoušen málem, v tváři divé rysy,
hned oči poulí, z úst mu jazyk visí.

Však Celegorm teď napřahá své kopí,
a Beren čeká jen, kdy smrt jej chopí.
Tak elfskou ocelí by padl ten, 785
jehož z pout vyprostila Lúthien,
nebýti Huana, jenž jako běs
zavyl a skokem ze země se vznes,
jako by kance nebo vlka čil,
na pána tesáky své vycenil. 790

Když kůň se splašil klopýtaje vzad,
Celegorm počal v hněvu hlasně lát:
„Jak opovažuje se cenit na mě zuby,
pes prašivý, co vzešel z bídné čuby!“
Však kůň ni jezdec nebyl smělý dosti, 795
by čelit zkusil chladnokrevné zlosti
Huana zuřivého lité síly,
čelistí rudých. Proto ustoupili
a v bázni hleděli naň zpovzdálí,
neb sami dávno přec již seznali, 800
že pán, ni kmán, ni ostří obnažené
strach Huanovi nikdy nenažene.

Curufin rázem vypustil by duši,
kdyby hlas dívčin souboj nepřerušil.
Lúthien vstala, hrůzou rozechvělá, 805
a tiše Berenovi takto děla:
„Můj pane, opanuj svou zlobu nyní
a nečiň tak, jak bídní skřeti činí!
Vždyť elfů nepřátel jsou na tisíce,
ba hordy nesčetné, jež nemenší se, 810

zatímco svět se rozpadá a hroutí!
Zapuď svou zášť! Nač v boji zahynouti,
jímž beztak dávná kletba je tu vinna."

Jen poté Beren pustil Curufina.
Však jeho zbroj a koně ponechal si 815
i dýku vzal mu, ostří chladné krásy,
jež obnažené bledým leskem hrálo
a rány smrtelné jen rozsévalo,
jež nikdo z živých nesved vyléčit.
V Nogrodu ukován byl její břit, 820
kde trpaslíci vládli umem svým,
údery kladiv, zpěvem kouzelným.
Jak klestí dovedla kov roztínat,
zbroj párala jak pouhý z vlny šat.
Teď v rukou cizích ocitla se dýka, 825
neb její pán, byv ranou smrtelníka
sražený k zemi, ležel přemožen,
i Beren pravil jemu rozezlen:
„Zmiz, zrádný pošetilče, kliď se pryč!
Snad ve vyhnanství vychladne tvůj chtíč. 830
Zvedni se, běž a nevracej se zpět,
již nekonej, jak koná bídný skřet
či slouha Morgothův, jen dobrých činů
napříště hleď si, Fëanorův synu!"
Pak Beren odvedl pryč Lúthien, 835
zatímco Huan hlídal připraven.

Celegorm zavolal: „Však jdi si, běž!"
Vždyť lépe bude ti, když zahyneš
kdes v poušti, neboť věz, že žádná hora
překážkou není synům Fëanora 840
lačných, bys jejich zlobu okusil.
Ztratíš jak Lúthien, tak silmaril,
nebudeš dívku mít, ni drahokam!

Pod mračnou oblohou tě proklínám,
kéž klidný spánek navždy opustí tě. 845
Buď sbohem!“ Seskočil pak z koně hbitě,
by pomohl zas bratru svému vstát.
Luk z tisu vzal a jal se napínat
tětivu zlatou, do níž založil
šíp ukrutný, jenž záhy našel cíl. 850
Lúthien s Berenem šli ruku v ruce,
kupředu hleděli, nic netušíce.
V tom Huan zavyl, ze země se zved
a střelu v letu lapil, jenže hned
vzápětí druhý šíp vzduch rozvířil. 855
Však Beren otočiv se přiskočil
a vlastní hrudí bránil Lúthien.
I padl k zemi, hrotem proboden.
Ba zrádní bratři ještě se mu smáli,
když raněného jej tam zanechali, 860
na útěk hnal je ale strach a děs,
by nedoběh je rozlícený pes.
Ač ústa poraněná Curufin
v úsměvu křivil, jeho podlý čin
zakrátko znám byl v krajích na Severu, 865
nadlouho zasel v lidech nedůvěru,
čímž Morgothovi službu prokázal.

A z bratrů ani jeden nepoznal
již nikdy psa, jenž po boku by rád
svých pánů šel a chtěl je poslouchat. 870
Ač Huan při nich dosud věrně stál,
i když jim domov rudou září vzplál,
nebyl jich nyní déle poslušen
svou hlavu složiv k nohám Lúthien.
Ta plačky skláněla se nad Berenem, 875
jemuž zlá rána zela pod ramenem,
z níž rudý proud se kvapně valil ven.

I roucho roztrhla mu Lúthien,
šíp smrtonosný vytáhla mu z těla,
slzami smyla místa zkrvavělá. 880

Po chvíli z nedaleké mýtiny
přinesl Huan stéblo byliny,
list hojivý, jenž nad ranami vládl
a po celý rok nikdy neuvadl.
Neb Huan, věčně v lesích pobíhaje, 885
veškerých rostlin znal jak tvar, tak taje.
Ukrutná bolest zvolna odezněla,
zatímco dívka tichým hlasem pěla
kouzlo, jímž kdysi dávno elfské ženy
dovedly zastavit zlé krvácení, 890
v dobách, kdy všude zuřil války běs.

V údolí zvolna noci stín se snes.
A tam, kde v šeru čněly vršky hor,
Srp Valar vyhoupl se nad obzor
a nebe pusté zalil bledý svit, 895
zář vzdálená, hvězd ledovitý třpyt.
Však dole na zemi v tom nočním čase
ruměné světlo v dáli mihotá se.
Pod lesní klenbou korun spletených
plápolá oheň, jiskry tančí v nich, 900
tam Beren dříme v spánek pohroužen,
horečný ovšem provází jej sen.
Bdí u něj dívka, hlavu k němu sklání,
žár žízně tiší, líc mu laská dlaní
a při tom tiše jakous píseň pěje, 905
jíž předčí všechny dávné čaroděje,
neb léčivou má nade všechno moc.
Tak krokem kráčí čas, až skončí noc
a úsvit bledý, v mlhách zahalen,
váhavě ohlásí zas nový den. 910

Vtom Beren oči náhle otevřel,
pozdvihl hlavu svou a takto děl:
„Já dlouho bloudil v cizích končinách,
pod nebem neznámým, jež budí strach,
sám nejspíš, kráčel jsem vstříc údolí, 915
kde v hloubi stínů mrtvé duše dlí;
však celou noc já zdálky slyšel zvon,
zpěv ptáků, violy a harfy tón,
a nad tím vším se klenul známý hlas,
jenž kouzlem ke světlu mě doved zas! 920
Zacelil ránu, bolest utišil!
Že rozbřesk sílu opět do nás vlil,
teď novým směrem souzeno nám jít –
kde život před smrtí lze uchránit,
Berenův těžko snad, však tebe zřím, 925
jak čekáš v stínu, krytá stromovím,
v lesích, jež chrání mocný Doriath,
zatímco já se budu ubírat
sám cestou trnitou vstříc moři běd,
tvá píseň dál mě bude provázet.“ 930

„Což nevidíš, že záhubu nám chystá
již nejen Morgoth sám? Neb dozajista
svým slibem zasels mezi elfy svár,
jenž přináší jen trápení a zmar.
Ba smrt, jíž šťastně unikli jsme dosud, 935
nás nemine – tak utkán byl náš osud –,
však, vydáš-li se v nebezpečí zas,
jen krátký oběma nám zbude čas.
Sám dobře víš, že nezbývá ti sil,
bys Thingolovi k nohám položil 940
žár Fëanorův, mocný drahokam!
Nač tedy jíti vstříc chceš temnotám?
Což útrapám všem nelze sbohem dát
a v lesích toulat se již napořád?

Nemůže věčně hřát nás slunce svit 945
a celý svět nám domovinou být?"

Tak s těžkým srdcem dlouze rozpráveli.
Však ani slzy, jež se v očích chvěly,
jak v mračném nebi vzdálených hvězd jas,
ni paže, hebké rty, ni její hlas, 950
jenž kouzlem elfským vznítit uměl cit,
Berena nedovedly přesvědčit.
K hranicím Doriathu šel by jen,
by cestou mohl chránit Lúthien,
však k Nargothrondu nechtěl jíti dál, 955
neb bál se, že by válku přivolal.
A nikdy nestrpěl by pomyšlení,
jak po světě, kde pro ni úkryt není,
samotná, bosá, bloudí zas a znova,
pro lásku jeho, navždy bez domova. 960
„Věz, Morgoth procitnul a při síle je,
až hrůzou údolí i stráň se chvěje,
a lovci vyrážejí hledat v šeru
ztracenou dívku, krásnou elfskou dceru.
Netvory temnými se plní les 965
a skřeti obludní, již budí děs,
jak šelmy slídí v stinných kotlinách.
To tys jim kořistí! Ach, hrozný strach
mé srdce obestírá jako mdloba.
Proklínám osud, jenž nás svedl oba 970
na stezku psanců, slib svůj proklínám,
jímž maně zavlek jsem tě v náruč tmám!
Noc přichází, již krátí se nám čas,
nuž pospěšme si cestou, která nás
dovede tam, kde nemusíš se bát, 975
v tvůj rodný kraj, ach, krásný Doriath,
kde stromů loubí útočiště skýtá
a žádné zlo v něj nikdy nezavítá,

neznajíc tajemství, jak proniknout
listovím hlídajícím každý kout.“ 980

Tak dívku přesvědčil as její milý
a hnedle k Doriathu vyrazili.
Jen kousek za hranicí toho kraje
ulehli v stínu zeleného háje,
pod klenbou větví přenádherných buků, 985
jež chránily je od vřavy a hluku,
tam pěli o lásce, jež bude žít,
zem kdyby moře mělo pohltit,
a odloučení zde na krátký čas,
na březích věčnosti se najdou zas. 990

Jednoho rána, v šeru před úsvitem,
kdy ještě v lesním loži mechem krytém
jak jemné poupě spala Lúthien,
čekajíc slunce svit a jasný den,
do vlasů Beren polibek jí dal, 995
a v slzách tiše pryč se odebral.

„Dobře ji opatruj,“ pak psovi děl.
„Na polích nevykvetl asfodel
ni v trní osamělá růže vonná
tak nádherná a křehká jako ona. 1000
Uchraň ji od větru i od zimy
a ukryj před pařáty dravými!
Dej, aby nezvadl ten krásný květ,
když hrdost osudná mě žene vpřed!“

Na koně nasedl a zmizel v dáli, 1005
ohlédnout bál se, neboť neskonalý
po celý den jej v srdci tížil žal,
když cestou k Severu se ubíral.

Tam pláň kdys byla, šírá na pohled,
kudy král Fingolfin svá vojska ved, 1010
kde trávu udusali koně bílí,
a šiky k útoku se hotovily,
vysoké štíty, přílby z oceli,
jak měsíc za noci se blyštěly.

Hlas polnic slyšet byl až do nebes 1015
a smělou výzvu Morgothovi nes,
jenž v temné věži dlel a ve stínu
již dlouho vyhlížel tu hodinu.

Koryta řek, kdys mrazivá a bílá,
horoucí láva náhle zaplavila, 1020
ze země puklé stoupal žhavý dech
a noční nebe rudlo v plamenech.
Z hithlumských hradeb vidět bylo jen
z hřebenů stoupat dým, až zahalen
byl obzor sám a během málo chvil 1025
sloup černých sazí hvězdy zadusil.
Tak širá pláň se obrátila v prach,
tam písek rzivý vanul po dunách,
pustinou vyprahlou a prokletou,
jen kamením a kostmi posetou. 1030

Toť Dor-na-Fauglith, aneb Zprahlá zem,
jak poté zvali kraj, jenž hřbitovem
se mnohým sličným bojovníkům stal,
na těle jejich havran hodoval.
Od skalních svahů na tu širou poušť 1035
k severu shlíží borů temná houšť,
Les černé noci, jehož chmurné kmeny
jak stěžně korábů ční, zahaleny
v plachtoví popelavém listů svých,
a smrti dech tam vane ve větvích. 1040

Zde Beren zasmušilý zrak svůj v dál
přes vlny vyprahlých dun upíral
k věžím, jež halil bouřné hory stín,
kde Thangorodrim čněly ze hlubin.

Však jeho kůň již vrátil by se rád; 1045
kdys pyšný hřebec zůstal v bázni stát
před zemí, jež jen hlad a hrůzu skýtá
a kam již z koní žádný nezavítá.
„Buď sbohem, dobrý oři pána zlého,"
propustil Beren koně vznešeného. 1050
„Už nevěš hlavu svou a pospíchej,
kol ostrova, kde vládl Thû, se dej
po březích Sirionu cestou zpět
k zeleným pláním libým na pohled.
A nermuť se, přec není tvoje vina, 1055
žes pána ztratil! Nedbej Curufina,
dej strasti sbohem, s jelenem a laní
se v toulej v lesích sám a možná v zdání
Valinor uzříš, domov předků svých,
v lovištích Oromëho ukrytých." 1060

Samoten Beren usedl a pěl,
až písní vůkol lesy rozezněl.
Ač nejspíš zaslechl jej vlk i skřet,
a další temné stvůry jakbysmet,
jež plíží se a plouží tam, kde stín 1065
proniká v šeré kouty Taur-na-Fuin,
nedbal jich nic, neb světlu sbohem dal,
ten, jehož srdce smělé tížil žal.

„Buď sbohem, vánku v šumném listoví,
jež hudbou tvou se každé ráno chví! 1070
Již nikdy nezřím stéblo, květ ni klas,
vás, svědky ročních dob, jež měří čas,

zurčící vody divé bystřiny,
ni skrytých tůní tiché hlubiny.
Na horách, na loukách, ni v údolích, 1075
již nikdy nezřím jíní, déšť ni sníh,
na zemi mlhu, na obloze mrak,
tvář měsíce, jenž upírati zrak
svůj zářný bude z hvězdných výšin dál,
i kdyby Berena zlý osud sklál, 1080
či jeho život ušetřen byl snad,
však v hloubi země musel skomírat,
neslyšen nikým, dýmem zadušen,
nevěda, je-li noc, či jasný den.

Buď sbohem navždy, nebe severní 1085
a kraji líbezný, jenž chválou zní
na dívku ztepilou, jež kráčela tu
ve stříbru měsíce i slunce zlatu,
na věčnou Lúthien Tinúviel,
nad jejíž krásou každý oněměl. 1090
I kdyby v trosky rozpadl se svět,
vyvrácen zcela, zničen, vržen zpět
do chřtánu propasti, jež zkázou zeje,
přec nevznik bez krásy a bez naděje –
– hle, moře, země, soumrak, nový den – 1095
neb chvíli mohla dlít tu Lúthien!“

Uchopil meč a do výše jej zdvih,
sám čele hrozbě nástrah nesčetných;
Morgotha proklel, jeho věž i síň,
nohu, jež drtí, dlaň, jež vrhá stín, 1100
místo, kde končí a kde počíná,
kde kořen jeho je i koruna;
pak dal se cestou po úbočí skal:
strach odvrhl a naděje se vzdal.

„Ach, Berene!“ v tom zvolal čísi hlas. 1105
„Já málem pozdě nalezla tě zas!
Ó, srdce hrdé, přeudatné rámě,
tak krátký čas a zapomněl bys na mě?
Věz, elfům zvykem je svou lásku ctít,
ne takto v samotě ji opustit! 1110
Má láska není o nic slabší než
ta tvá, i před ní bude chvět se věž
a brána smrti, přestože se zdá
být křehká na pohled, však vytrvá
a pevná zůstane, i kdyby snad 1115
do hlubin země hrozil by jí pád.
Ach, milý, počínal sis pošetile,
žes utekl, žes nevěřil mé síle;
svou lásku od lásky chtěls uchránit,
jí přitom milejší by bylo jít 1120
vstříc mukám s tebou, ba i zemřít snad,
než v kleci dobré vůle skomírat,
tam strádat nečinně a nemoci
milému svému nijak pomoci.“

Tak v kraji pustém Beren opět zřel 1125
svou milou, Lúthien Tinúviel:
na místě stanuli, jež budí děs,
před nimi poušť a v zádech temný les.

Tvář k němu pozdvihla, on vzápětí
rty tiše přimkl v něžném objetí: 1130
„Třikráte přísahu svou proklínám,
že nyní dovedla tě v náruč tmám!
Kde však je Huan, jemuž s důvěrou
jsem kladl na srdce, ať před újmou
tě uchrání a nedopustí nic, 1135
by za mnou vydala ses peklu vstříc?“

„To nevím! Avšak přízni mé se těší
ten moudrý pes, neb srdce laskavější
má nežli ty, můj zachmuřený pane!
Ač zprvu byly moje nářky plané, 1140
po čase svolil na zádech mě nést
a stopou tvou se vydal kolem cest:
jak bujný hřebec Huan pádil dál –
ten pohled vskutku by tě rozesmál,
jak osedlala jsem si jeho hřbet 1145
a společně jak vlkodlak a skřet
za nocí kupředu jsme kvapně spěli
houštinou, hvozdem hbitě uháněli.
Když ale zaslechla jsem píseň tvou
Lúthien vzývat, zhrdat temnotou, 1150
na zem mě Huan snes a zmizel hned,
kam ale, nedovedu povědět."

Však zakrátko již onen dobrý pes
přichvátal bez dechu a v očích děs
mu planul, neboť strachoval se velmi, 1155
by dívku nelapily lačné šelmy,
když bez pomoci zanechal ji zde.
Teď k nohám položil jim škaredé
ostatky netvorů, jich těla dvojí,
jež u vod Sirionu skolil v boji: 1160
vlčinu ohromnou a kosmatou,
temnými kouzly naskrz prodchnutou,
jež stvůře propůjčily zhoubnou zášť –
hle, Draugluinův vlkodlačí plášť;
též přines jakýs netopýří šat, 1165
jenž v sobě skrýval dlouhých kostí řad,
a ze všech kloubů trčel ostrý klín –
na křídlech takových od Taur-na-Fuin
poslové Thûovi kdys vzlétávali
a s vřískotem jak mračna pluli v dáli 1170
ve svitu měsíce.

„Co má to být?
K čemu nám má tvá kořist posloužit?
Nad Thûem zvítězil jsi hrdinně.
Nač ale trofejí zde v pustině?“
Tak Beren tázal se a Huan zase, 1175
však naposled již, prones lidským hlasem,
v němž hluboký tón dávných zvonů zněl
jenž z valmarských se nesl citadel:

„Dva klenoty jsou, jeden musíš vzít.
Kohopak rozhodneš se oloupit, 1180
temného pána, nebo elfů krále?
Dáš přednost cti, či lásce neskonalé?
Pakliže slibu nehodláš se vzdát,
buď lásku svou tu necháš umírat,
či dovolíš, ať provází tě tam, 1185
kde číhá smrt, vstříc sudby nástrahám.
Ačkoliv snažení tvé, Berene,
se zdá být marné, není šílené;
však smrt ten vábí, života se zříká,
kdo dál by šel jen v hávu smrtelníka. 1190

Felagund dobré zvolil přestrojení,
však Huan praví vám, že lépe není,
než podoby své nadobro se vzdát
a obléct netvorů zlých kletý šat,
v němž veskrz mrzká ohavnost se zračí: 1195
zde čarodějnou kůži vlkodlačí,
tu netopýří stvůry háv a kápi,
pekelná křídla, z nichž ční ostré drápy.

Já sám však dále nesmím s vámi jít,
byť v srdci nebudu mít nikdy klid! 1200
Ač těžké zkoušky přichystal vám osud,
již nejsem s to vás chránit jako dosud,

neb kdo kdy viděl, aby bez obav
po boku s vlkem kráčel vlkodav?
Však cosi říká mi, že u těch bran, 1205
kde Angband otvírá svůj hrůzný chřtán,
též jednou stanu, avšak dobře vím,
že v jeho ledví nikdy nevkročím.
Beznaděj sílí, před mým zrakem skrytá
jsou tušení, co budoucnost nám skýtá, 1210
však vzdor všem nástrahám se může stát,
že oba spatříte zas Doriath,
a kdo ví, možná potkáme se zas
my tři, než konce všeho přijde čas."

Beren i Lúthien jen mlčky stáli 1215
a hlasu hlubokému naslouchali.
Když ale slunce ustoupilo tmám,
Huan se odmlčel a byl ten tam.

I uposlechli jeho trpkých rad
a odhodili půvab svůj a lad, 1220
s odporem podobu svou skryli radši
v upíří křídla, kůži vlkodlačí.

Však aby nepozbyli v novém hávu
svá srdce horoucí, ni chladnou hlavu,
a nepronikl do nich děs a zloba, 1225
Lúthien rozhodla se chránit oba,
zpívajíc neúnavně do půlnoci
uvila elfské kouzlo velké moci.

Jakmile nasadí si kůži vlčí,
již Beren jazyk plazí, hlady vrčí 1230
a z rudé mordy na zem sliny kanou,
však trpkou bolestí mu oči planou
a děsu plné jsou, když náhle zří

před sebou stinný obrys upíří,
jak ztěžka vleče křídla krabatá. 1235
I Beren zavyje a odchvátá
přes hory, pláně, prašnou dolinou,
měsíčnou nocí, šerou krajinou,
však není sám: jak temný baldachýn
nad hlavou vznáší se mu křídel stín. 1240

V těch šerých končinách jen mour a prach
a suchý písek vane po dunách,
v mrazivém větru pod měsícem sténá
tam země vyprahlá a zpustošená;
napříč tím nehostinným suchopárem, 1245
přes kameny a skály sžehlé žárem,
pahýly kostí rozesetých všade,
stvoření pekelné se nyní krade.

Když nedomřivý den se připloužil,
zbývalo ještě mnoho dusných mil; 1250
zbývala ještě drahná doba k cíli,
když znovu stíny cestu zahalily,
když šerem noci chladný vítr vál
a šepot přízračný se nesl v dál.

Nazítří ráno z mlh se vynořil, 1255
námahou pozbyv veškerých svých sil,
kulhavý, zpola slepý, vlčí tvor;
k Severu belhal se do temných hor
a cestou nes, byť znaven k zemdlení,
na hřbetě jakés choré stvoření. 1260

Tam skály rozeklané čněly k nebi
jak ostré zuby, pařáty či hřeby,
po obou stranách stezky zešeřelé
vedoucí ku pevnosti nepřítele,

jež ležela tam v srdci temné Hory 1265
protkané chodbami a koridory.

Ve stínu skály černé jako mrak
ulehl s upírem i vlkodlak.
U cesty poté dlouze vyčkávali,
zatímco myšlenky jim pluly v dáli 1270
bloudíce v doriathských hájích zas,
kde slýchávali smích a ptáků hlas.

Však náhle procitli, když kolkolem
údery zvučnými se chvěla zem,
když ozvěnou se neslo ze hlubin 1275
dunění Morgothových kovadlin,
a z dáli doléhal k nim hrůzný hřmot,
kamenných nohou, okovaných bot:
to balrogové hnali skřety vpřed
do války ničit, loupit, zabíjet. 1280

Beren a Lúthien již nemeškali,
pod pláštěm noci na pochod se dali,
cestou skrz strmé skalní rozsedliny
spěchali tiše jak dva temné stíny.
Z útesů výšin skláněli své hlavy 1285
a skřehotali ptáci mrchožraví,
dým stoupal z jícnu popelavé země,
kde rodilo se kluzkých hadů plémě.
Nakonec oba v tíživém tom šeru,
jež zcela oblehlo je ze všech směrů, 1290
neboť u Thangorodrim na úpatí
bytněla mraků čerň jak příslib smrti,
spatřili temnou pláň, jíž vůkol střeží
prstenec pevností a strmých věží,
a hradbu útesů, jež kol se vine 1295
krajiny mrtvolné a nehostinné

až ke zdem stoupajícím do výšin,
kde Bauglir zbudoval si hromnou síň,
pod kterou černý jako křídla vran
se tyčil obrovský stín jeho bran. 1300

❧

V těch místech, která halil brány stín,
kdys dávno stanul smělý Fingolfin,
třímaje azurově modrý štít,
jejž zdobil křišťálové hvězdy svit.
Jat hněvem nezkrotným a zlobou hnaný, 1305
zoufale bušil do pekelné brány
obklíčen hradbou opevněných skal,
pak mocně zadul onen gnómský král
na roh, jenž visel na zeleném pásu,
rozezněv stříbřitý hlas plný jasu. 1310
Fingolfin k boji hotov chrabře děl:
„Nechť vstříc mi přijde mrzký vyvrhel!
Proč zbaběle se skrývá temnot pán
a vrata neotvírá dokořán?
Obludný králi zotročených mas, 1315
za sebe sám se bít teď nastal čas,
vyjdi a bojuj mečem svým a paží
a nespoléhej na sílu svých stráží!
Já čekám zde, ty neotálej již,
jenž elfům se i Bohům protivíš!“ 1320

A Morgoth vyšel. Tenkrát naposled
v těch časech válečných se z trůnu zved
a z hlubin rachotivý hřmot se nes,
když stoupal vzhůru jako zemětřes.
I stanul před branami hotov k boji 1325
v koruně železné a smolné zbroji,
s olbřímím štítem černým jako mrak,

jenž neměl v poli prázdném žádný znak,
jak stín se tyčil nad přejasným králem,
vzápětí k nebesům zdvih znenadále 1330
kladivo podsvětí, jež plodí strach,
a Grondem hromobitným mocně mách,
načež zem rozťal jako mračna blesk
a všude ozýval se hromů třesk,
když ze skal rozpuklých se valil dým 1335
a jejich chřtán plál ohněm pekelným.

Jak bledý záblesk Fingolfin se mih
zářného světla v mračných nebesích,
uskočiv stranou, Ringil tasil hned,
meč modře lesknoucí se jako led, 1340
zhotoven elfy tak, by v jeden ráz
do těla pronikl jak krutý mráz.
Sedmero utržil ran nepřítel,
sedmkrát úpěním svým rozezněl
okolní hory, až se chvěla zem 1345
a v zmatku strach se šířil Angbandem.

Však přesto souboj u bran pekelných
ve skřetech budil pak jen krutý smích;
a v písni elfové jen jedenkrát
vzpomněli Fingolfinův trpký pád – 1350
Thorondor, nebes vládce, orlů král,
když v horské mohyle jej pochoval,
pak spěchal mezi všechen elfský lid
ten osud truchlivý jim vylíčit.
Třikráte klesl pod ranami třemi, 1355
do kolen sražen třikrát padl k zemi,
však pokaždé král elfů opět vstal
a dále mračnům temným vzdoroval,
zdvih pyšně rozetnutou přilbici
a zjizvený štít s hvězdou zářící, 1360

jejž dosud nezlomila temnot síla,
jež vůkol zemi na rub obrátila.
Vtom Fingolfin již počal umdlévat,
i klopýtl a před Morgothem pad,
jenž na hrdlo mu stoupl vahou hor, 1365
však nedovedl zardousit v něm vzdor,
načež pak vposled pozdvih elfský král
svůj bledý meč a v obří patu ťal,
až černá krev se vyřinula z rány
jak horký pramen z útrob země hnaný. 1370

Kulhavým zůstal Morgoth od těch dob,
kdy srazil krále, jemuž upřel hrob
a zmrzačené tělo hodlal spíše
předhodit lačným vlkům. V tom však z výše
horského trůnu, jenž mu Manwë kdesi 1375
přikázal zbudovat si pod nebesy,
by na Morgotha hleděl z vršků hor,
se snesl král všech orlů Thorondor,
do tváře Bauglirovy hbitě ťal
zobákem zlatým, načež rozepjal 1380
pár křídel třicet sáhů širokých,
pak tělo vznešeného krále zdvih,
a nepřátelům vzdor jej odnes tam
daleko na jih k sněžným výšinám
horského věnce, jehož širý stín 1385
ukrýval pláň, kde stával Gondolin,
jenž v obležení věčném panoval,
a uprostřed těch nebetyčných skal
v mohyle kamenné pak položil
reka, jenž s Morgothem se na smrt bil. 1390
Skřeti a démoni se od těch dob
tím průsmykem, kde Fingolfinův hrob
čněl k nebi, strachovali procházet,
než Gondolinu pád je přived zpět.

Tak od té doby Bauglirovu líc 1395
hyzdila jizva hluboká, co víc,
již navždy chromý zůstal; přesto dál
ve skrytu temných síní panoval
a jeho kroky hřměly v zemském lůně,
než usedl zas na kamenném trůně, 1400
by dlouze zákeřné své plány kul,
jak do otroctví svět by uvrhnul.
Již klidu nepoznal ni elf ni skřet,
neb vrahů vladyka a pán všech běd
svou stráž a hlídky zmnožil natřikrát, 1405
své špehy od Východu na Západ
rozeslal, aby donesli mu zprávu,
kdo v boji našel smrt a kdopak slávu,
kdo skrývá se, kdo pyšní vojskem svým,
kdo krásou oplývá, kdo bohatstvím. 1410
Tak brzy zvěděl, co kdo v srdci skrývá,
by zchytra zúročil svá kouzla lstivá.

Jen Doriath mu odolával zcela,
neb tajem Melian jej obestřela,
v závoji čarovládném zůstal skryt, 1415
by Bauglir nemohl nic vyslídit.
Odjinud denně zprávy slýchával,
kam který nepřítel svá vojska hnal,
co chystal jaký Fëanorův syn,
zda z plané hrozby mohl vzejít čin, 1420
jak v Nargothrondu dál se hotovili,
že Fingon stále srocoval své síly
tam v hloubi hvozdů, v stinných dolinách
pod štítem Hithlumu. I dostal strach,
přestože nabyl opět dávných sil; 1425
Berenův věhlas zle jej popudil
a štěkot Huanův zas slýchal nést
se loubím lesů.

Prapodivná zvěst
však k jeho trůnu záhy donesla se
o tom, jak Lúthien prý v onom čase 1430
samotná toulala se divočinou
a Morgoth dlouze dumal nad příčinou:
jaký as úmysl sám Thingol měl
s útlou a půvabnou Tinúviel?
Boldoga vyslal mečem dobývat, 1435
však lstivě ubránil se Doriath
a krutý kapitán, ni jeden skřet
z tažení živý nevrátil se zpět.
Tak Thingol ztrestal zpupnost Morgothovu,
jenž nadto dostal zprávy o ostrovu, 1440
z nějž Thû, byv skolen, musel uprchnout
a z jeho věží zbyl jen rum a troud.
Tak lstí mu nepřátelé opláceli,
i zrady hrozil se, až podezřelý
mu zakrátko byl každý jeden skřet. 1445
A v hloubi hvozdů nepřestával znět
hlas nejsmělejšího psa božských tvorů,
jenž kdysi lovil v krajích Valinoru.

Huanův pád však sudba určila,
Morgoth ji znal a dal se do díla. 1450
I povolal svou smečku hladovou
netvorů divých s vlčí podobou,
v nichž ukryt nejeden byl divý ďas;
pročež pak z hlubin slují po ten čas
slýchávat echem bylo hrůzné vytí, 1455
jímž jevili se vlkodlaci lítí.
Z nich Morgoth mládě vybral jediné,
jenž denně zval pak k hrůzné hostině,
neb sám jej krmil kusy mrtvých těl
elfů a lidí, z nichž vlk mohutněl, 1460
až v doupěti svém nemohl již dál

se tísnit, pročež v síni lehával
u trůnu pána svého jediného,
neb dotknouti by neodvážil se ho
ni skřet ni balrog. Sám tak hodoval 1465
na masu krvavém, jež z kostí rval.
Tam záhy pekel netušená síla
svým kouzlem celého jej pohltila,
až z mordy plamenné mu stoupal dým,
až jeho dech čpěl puchem hrobovým, 1470
až oči planuly jak uhle žhavé,
až silou předčil všechny tvory dravé,
jež zplodilo kdy podsvětí či země,
ať v jeskyni či lese, též své plémě
proradné, kletý Draugluinův rod, 1475
zastínil netvor zvaný Carcharoth.

Tím jménem každý elf jej z písní znal.
Vlk s rudou tlamou ovšem vyčkával
a skrýval zatím hladový svůj chřtán,
číhaje v stínu u angbandských bran, 1480
jež výhružně tam čněly do oblak;
upíral z temnot řeřavý svůj zrak
a tesáků řad dával na odiv;
ba z těch by žádný nevyvázl živ,
kdo chtěl by lstí či silou vniknout tam, 1485
kde sídlo pod zemí měl Morgorth sám.

Co však teď strážce zří to bdělým okem?
Hle! V dáli plání šerou kradmým krokem
jde v ústrety mu jakás bytost šedá,
co chvíli zastaví se, cestu hledá, 1490
pak blíž se sune, u země se krčí
div prachem netáhne svou tlamu vlčí;
a nad hlavou jí v kruzích zvolna víří
přízračné stíny, křídla netopýří.

Ač odpradávna zdejší chmurná zem 1495
podobným tvorům byla domovem,
k těm postavám, jež blížily se v šeru,
Carcharoth ihned pojal nedůvěru.

„Jakou to hrůznou šelmu na postrach
postavil Morgoth hlídati svůj práh, 1500
by žádný nemohl jej překročit?
Běda, že pohled souzeno nám zřít,
při kterém naděje se hnedle hroutí:
vražednou tlamu, konec naší pouti!
Co naplat, teď již není cesty zpět!“ 1505
Tak Beren pravil upíraje hled
svůj vlkodlačí v dáli na obzor,
kde v skrytu číhal pekelný ten tvor.
Otálel chvíli, pak však dal se vpřed
kol černých jam, jež zůstaly tam zet 1510
před branou pekelnou, kde Fingolfin
kdys padl vykonav svůj smělý čin.

Teď stanuli tu Beren s Lúthien
a Carcharoth, zlou tuchou naplněn,
udeřil na ně hromovým svým hlasem, 1515
až jeho silou brána zachvěla se:
„Koho to zřím? Toť přece Draugluin,
pán rodu mého! Pročpak do končin
zdejších ses vydal po tak dlouhé době?
Jak ale málo podobáš se sobě! 1520
Kdys plál jsi divoce jak plamen rudý,
teď sotva vlečeš zemdlené své údy,
jak vichr pustinou ses hnával dřív,
nyní se ploužíš, pane, sotva živ!
Ba, jaký div, že vůbec dech ti zbyl, 1525
když v hrdlo tesáky ti zanořil
sám velký Huan! Jakým zázrakem

ses poté živý dobelhal až sem,
pakliže Draugluin se vskutku zveš?
Pojď blíž, ať zvím, zda pravdu díš, či lež!“ 1530

„Ty drzé štěně, za koho se máš,
že projít bráníš mi a odmlouváš?
Samotný Thû mě vyslal k Morgothovi
vyřídit zprávu, ne tu plýtvat slovy.
Kliď se mi z cesty, nebo spěchej hned 1535
můj příchod oznámit co nevidět!“

I zvolna strážce ze země se zdvih
a v očích temný záblesk se mu mih,
když hlasem vzdorovitým zaskuhral:
„Jestliže Draugluin jsi, můžeš dál! 1540
Však co to ukrývá se za tvým chvostem?
Což, pane, nejsi jediným zde hostem?
Ač na křídlech tu létá sem a tam
nespočet tvorů, všechny dobře znám.
A toho zde tu vidím prvně. Slyš! 1545
Kam, upíre, bys prchal? Přistup blíž!
Já nemám v lásce tebe ni tvůj rod.
Pověz, nač děláš vlkům doprovod?
Snad, červe okřídlený, letíš z dáli,
bys tajnou zprávu předal mému králi? 1550
Žes hnida nicotná, přec dobře vím,
možná ti z nudy křídla ukroutím.“

Když hromný hřbet pak nad ní rozklenul,
Berenův pohled jako plamen žhnul,
přestože mráz mu běhal po zádech. 1555
Nic nedovedlo skrýti vůně dech,
ten blahý závan nesmrtelných květů,
jež v rose stříbřité se mají k světu
na lukách valinorských, kterým kvést

je dáno navěky. Jich vonnou tresť 1560
kam vkročila, tam vnesla Lúthien.
Ba, její převlek zmohl sotva jen
temnotou obloudit ten vlčí zrak,
však skrýti nedovedl nikterak
přesladkou vůni, kterou zvětřily 1565
pekelné nozdry, jež se nemýlí.
Již Beren věda, že vlk útok strojí,
s životem loučil se a chystal k boji.
Na prahu pekla netvor s netvorem
pohledem měřili se s odporem: 1570
Draugluin nepravý a Carcharoth.
Však zázrak stal se! Jako o překot
Tinúviel vtom zchvátil vnitřní žár,
kouzelné moci odvěký ten dar
bytostí božských dlících na západ 1575
od zemí zdejších. Upíří svůj šat
hned shodila a jako skřivan z rána
vzdor temné noci ničím nespoutaná
zvonivým hlasem, který srdce svírá
jak za úsvitu melodie čirá 1580
stříbřitých rohů vítajících den,
zapěla mocné tóny Lúthien.
Bělostnou rukou tkaný plášť jak dým
jí z paží sklouzl, jenžto kouzelným
svým lemem jako čarodějná noc 1585
vlád silou mámivou a měl tu moc
závojem spánku zastřít oči vlčí,
mlhavým stínem, v němž se hvězdy zračí.

„Spi, tvore zmučený a zmrzačený,
přehořkým údělem svým zotročený, 1590
z cesty mi ustup, prchej, nešťastníče,
a odhoď břímě zášti, hladu, chtíče,
bolesti, strastí, řetězů a pout!

Na krátký čas přec můžeš uniknout
do sluje spánku, temných hlubin snění, 1595
bezedné studny zvané zapomnění!“

Ve vlčích očích zhasl plamen čilý
a nohy náhle se mu podlomily,
jako když do smyčky se volek chytí
a k zemi jako podťatý se řítí. 1600
Jak mrtvý ležel, nic se nehýbal,
jak dubisko, jež blesk tu rázem sklál.

V ponuré šero vykotlané tmou,
v němž ticho mrtvolné zní ozvěnou,
jak v pyramidě bludných slojí plné 1605
a chodeb, kde až srdce hrůzou trne,
neboť tu věčná smrt již v skrytu číhá
a nad vším visí zloby temná tíha;
až k samým základům všech hor a skal,
jež rozryl, zhyzdil, naskrz provrtal 1610
ohavné havěti houf neurvalý,
dál v hloubi o samotě putovali.

Za zády oblouk bledý za soumraku
co krok se vzdaloval a ztrácel zraku;
zato však sílil rachot ze hlubin, 1615
hřmot kladiv hromových a kovadlin,
a z šachet žhnoucích vanul čpavý dech.
Kolkolem tyčily se ve stínech
balvany olbřímí, jimž kdosi dal
podobu stráží ohavných, neb vytesal 1620
z nich obry škaredých a podlých tváří,
již šklebili se v mihotavé záři,
jak varta hrozivá a němá zcela.

A zem se zatím pod údery chvěla,
jež z hlubin kováren sem pronikaly, 1625
kde s rachotem, jak když se lámou skály,
nejeden bolestný se nesl vzdech
zajatce mučeného v okovech.

Vzápětí dolehl k nim drsný smích,
jež z hrdel prýštil zlých, přec zoufalých; 1630
divý a drásavý zněl jejich zpěv,
při kterém hrůzou tuhla v žilách krev.
Zář rudá linula se ode vrat,
za nimiž zřeli mosaz plápolat
na zemi zrcadlící ohně nach, 1635
jenž stoupal do výšin, až zmizel v tmách
kopule nezměrné, kde mračno par
a dýmu zadusilo jeho žár.
Váhavým krokem vešli do síně,
kde Morgoth hotovil se k hostině, 1640
nad ohněm oslnivým hodoval,
krev zvířat pil a z lidí život sál.
Klen ohromný a tíhu celé skály
tam sloupy nebetyčné podpíraly
tesané do podoby divých stvůr, 1645
jež věru zrodily se z nočních můr:
do výšin tyčily se jako kmeny
stromů, jež naděj dusí pod kořeny,
jichž větve kroutí se jak těla hadí,
stín smrti vrhají a jedy plodí. 1650

Pod nimi Morgothův se tísnil šik,
ježatá horda mečů, štítů, pík,
ve zbroji černé, jež se v ohni blyští,
jak rudý pablesk v krve tratolišti.
Ve stínu sloupů trůnil temnot král, 1655
a pod ním sténal, v mukách umíral

nejeden nešťastník pln těžké mdloby,
jenž válkou uvržen byl do poroby.
Kol trůnu Morgothova plály hřívy
balrogů žhnoucích, jimž se ruce krví 1660
leskly, ba tesáky jak ocel skvěly,
a u nohou jim lační vlci bděli.
A nad tím vším se zračil plamen bílý,
svit bledý, ledový – tři silmarily,
kameny osudné, všem drahocenné, 1665
v koruně nenávisti uvězněné.

Vtom náhle mihl se, hle, vzduchem stín,
skrz dveře vlétlo cosi v hrůznou síň;
a Beren rázem ocitnuv se sám
přikrčen hleděl v bázni k výšinám, 1670
kde netopýřích křídel tichý pár
zalétl v mračna dýmu, temných par,
v nichž ztrácelo se sloupů větvoví.
A tak, jak noční můra vybarví
pokradmu do černa svým stínem sen, 1675
až náhle ocitne se pohroužen
do chmurných oblaků, jichž dusnou tíž
by duše nesetřásla nikdy již,
tak z mnoha hrdel vytrácel se smích,
až v šeru zvolna všechen hlahol ztich. 1680
Do síně vnikl bezejmenný strach,
až skřeti krčili se v pochybách
a ve svých srdcích zaslechli, jak zní
pradávných božstev ryčné troubení.
Však Morgoth proťal ticho v jeden ráz, 1685
když ze tmy zaburácel jeho hlas:
„Hned z výšin sestup, stíne! Myslíš snad,
že zrak můj lehce můžeš oklamat?
Před hledem mým si marně hledáš skrýš,
zakrátko beztak se mi podvolíš! 1690

S nadějí rozluč se, kdos nepozván,
neboť již není cesty ven z mých bran.
Tak dolů poleť, dokud křídla máš,
ty pošetilče, který předstíráš,
žes upír, ač jen nosíš jeho kůži!" 1695

I Beren zřel, jak drobný stín kol krouží
koruny železné, jak padá tiše,
jak zvolna, zdráhavě se snáší z výše,
až před ohavným trůnem zcela sám
se octnul napospas všem temnotám. 1700
Zatímco Morgoth zrak svůj upíral
k tvoru, jenž nyní u nohou mu stál,
pln obav, Beren proplížil se tich,
po zemi vláčeje svůj vlčí břich,
studeným potem zkropen, k úpatí 1705
chmurného trůnu pána podsvětí.

Tón mdlý, přec břitký, ticho rozechvěl,
když takto pravila Tinúviel:
„Od nejtemnějších končin Taur-na-Fuin,
od věží Thûových, jež halí stín, 1710
až k trůnu tvému připadlo mi nést
z veliké dáli povážlivou zvěst!"

„Jak říkají ti, pískle nedomřivé?
Tak mluv! Své zprávy přinášíš mi dříve,
než čekal bych. Co Thû by ráčil zas? 1715
Nač další poselství v tak krátký čas?"

„Jsem Thuringwethil: černým stínem svým
častokrát měsíce tvář zahalím,
až kletý Beleriand pohřbím v tmách,
neb kde jsem já, tam vládne děs a strach." 1720

„Mlč, tvore prolhaný! Již nebudeš
před zrakem mým tu snovati svou lež.
Hned svlékni podvodný svůj šat i zjev,
sic poznáš zlobu mou a strašný hněv!“

Plášť netopýří, podivný ten šat, 1725
z ramenou snesl se a zplihlý pad
na zem, kde rozechvělá Lúthien
tak sama vydala se peklu v plen.
Kol skrání vlasy temné jako stín
splývaly s hávem, jenž jak baldachýn 1730
nočního nebe naskrz protkán byl
světlem, jež v bledých hvězdách zachytil.
Mlhavý sen a spánek zapomnění
prostoupil zlehka síň a ve sklepeních
se náhle vzduchem nesla vůně květů, 1735
jež za soumraku skví se v tichém vznětu,
když stříbrný déšť skrápí elfské lesy;
přec kolem plazili se temní běsi
pohledů lačných, hrdel hladových.

Lúthien nedbala však stínů zlých, 1740
pozdvihla paže, hlavu sklonila,
a z jemných tónů píseň uvila
podobnou spánku za hluboké noci,
v níž vetkla nápěv nebývalé moci,
jak kdysi Melian, jež zpěvem svým 1745
údolí prodchla kouzlem omamným.

Žár ohňů angbandských, ten rudý jas,
v záblesku náhlém vyšlehl a zhas,
a temný stín se valil podzemím,
obřími síněmi jak černý dým. 1750
Veškerý ruch a pohyb ustal hned,
potichu dýchal v šeru vlk i skřet.

Jediný plamen temnu odolal,
co v Morgothových očích hořel dál;
jediný hlas přec ticho prolomil, 1755
když Morgoth hrobovým svým promluvil.

„Tak vida, Lúthien, jak směle lže,
jak všichni lidé lžou i elfové!
I tak zde vítána je jako host!
Otroků přece není nikdy dost. 1760
Co Thingol? Stále číhá ve své díře
a skrývá se jak ustrašené zvíře?
Jaké to v mysli bláznovství ho žene,
že nechá dítě svoje zaslepené
se takhle zatoulat? Anebo snad 1765
svým zvědům nezná lepší radu dát?"

Zpěv utichl a dívka zaváhala.
„Otcových rad jsem věru málo dbala
a Thingol nemá tušení, že nyní
svou dceru nalezl by v šeré síni, 1770
kam zavedly ji stezky nehostinné,
neb každá vposled k Severu se vine.
Pročež zde před tebou se sklání, králi,
pokorná sice, avšak hodna chvály,
Lúthien, která způsob má a cit 1775
a ví, jak srdce vládců potěšit."

„Pak tedy zůstat se ti poštěstí
zde navždy v pohodlí či v bolesti –
však věz, že bolest stejně sluší všem,
ať vzbouřencem jsi, nebo otrokem. 1780
Což Lúthien si nezaslouží znát
náš úděl útrpný? Či měl bych snad
se slitovat nad jejím křehkým tělem
a neztrýznit ty údy rozechvělé?

Co bys tak mohla získat písní svou 1785
tak zmatenou, tak směšně ubohou?
Já pěvců dovedných mám víc než dost.
Však přesto prokáži ti laskavost
a žít tě nechám, krásná Lúthien,
jen krátký čas, ba draze vykoupen, 1790
ty hračko k ukrácení dlouhé chvíle.
Jsi jak ty květy líbezné a milé,
jež v líných zahradách tak sladce voní,
že nejeden bůh k polibku se skloní,
však záhy odhodí je zlámané. 1795
Sem zřídka podobný květ zavane,
neb daleký a cizí je nám svět,
kde místo dřiny lze jen zahálet.
Kdo snad by nechtěl na rtech pocítit
tu sladkou chuť, či nohou rozdrtit 1800
bělostnou poddajnost těch bledých krás
a jako bohové si krátit čas?
Bohové buďtež navždy zatraceni!
Od hladu, žízně pomoci nám není!
Však soustem, které před sebou tu zřím, 1805
žár jejich krutý záhy utiším!“

Zrak jeho mocným ohněm náhle vzplál
a ruku nestoudnou již napřahal.
„Ó zadrž, králi! Přece žádný pán
neničí dar, jenž byl mu věnován! 1810
Věz, v každém pěvci dřímá jiná síla,“
vykřikla Lúthien a uskočila.
„Ten hlas má ryčný, jiný tiše zpívá,
však každá píseň, veselá či tklivá,
byť kulhavý má rým či hrubý tón, 1815
zaslouží krátce rozeznít jak zvon.
Lúthien důvtip ostrý má jak břit
a ví, jak srdce vládců potěšit.

Teď slyš!“ Vtom dívka křídly mávla tak,
že vzhůru vzlétla rychleji než pták, 1820
hned ladně vysmýkla se ze sevření
a pláštěm tkajíc tanec plný chvění
korunu železnou v ráz obletěla,
jež zdobila klen Morgothova čela.
Zapěla znovu čarovládným hlasem 1825
a shůry píseň zvolna snášela se,
z klenutých výšin jako rosa z rána,
jež slévala se, kouzlem tónů hnána,
v tom proudu stříbřitém a zurčivém,
jež temné tůně plnil bledým snem. 1830

Háv její celý protkán kouzly spánku
se vůkol vlnil jako v lehkém vánku,
když ve tmě hluboké tam Lúthien
bloumala ladně kolem holých stěn
v tanci, jejž nikdy žádný elf či víla 1835
předtím ni od té doby netančila;
kol domu temného, v němž světlo zmírá,
by křídlo vlaštovky ni netopýra
rychleji neoblétlo nežli ona,
jíž v půvabu a ladu nepřekoná 1840
nikterá z víl, jež perutěmi vějí
Vardinou síní v nadpozemském reji.

K zemi se zhroutil skřet i balrog smělý;
poklesly hlavy, zraky potemněly;
žár v srdcích otupil i v hrdlech hlad, 1845
však nyní tam, kde vládla tma a chlad,
hlas její v čarovném tom vytržení
se zlehka nesl jako ptačí pění.

Ač na všech očích tíha spánku lpěla,
zrak Morgothův přec nevyhasl zcela 1850

a chvíli ještě bloumal udiven,
než vposled udolal jej kouzla sen.
Jakmile oheň v jeho očích zhas
a pohled ztratil řeřavý svůj jas,
jak hvězdy nebeské se rozzářily 1855
přísvitem bledavým tři silmarily,
jež dosud dusil zemských útrob pach
a jejich svit zas rozhostil se v tmách.

Pak rázem zaplanuly nade všemi
a dolů řítily se – dolů k zemi. 1860
Pán temnot sklonil čelo zamračené,
co mlhou horské štíty obestřené
ramena klesla mu a hřmotné tělo
jak útes za bouře se rozechvělo,
než v ryčném zhroutilo se tíhy hřmění 1865
a z trůnu padl Morgoth v okamžení.
Koruna z hlavy se mu skutálela
duníc jak bouře hrom. Pak ustal zcela
veškerý ruch a oněměla Zem
zmámená spánkem v tichu hrobovém. 1870

Do výše tyčil se trůn osamělý
a pod ním leželi jak zkamenělí
vlci a zmije s těly zkroucenými;
i Beren upadnul tam mezi nimi
do temných mrákot, hlubin zapomnění, 1875
kde myšlenek, ni snů, ni stínů není.

„Pospěš si! Hodina již udeřila,
kdy pána temnot opustila síla!
Probuď se! V pekle zůstali jsme sami
a trůn, jenž děsil, obestřen je tmami!“ 1880
Hlas v hloubi zčeřil vody tiché tůně,
kde Beren v mdlobách tonul, dokud vůně
květů, jež linula se z hebkých dlaní,

lehounce nedotkla se jeho skrání,
z nichž Lúthien tak jako svěží vánek 1885
zas rázem odehnala těžký spánek.
Jak procitl, hned shodil vlčí šat,
zalapal po dechu a zůstal stát
zíraje do tmy, tiché, beze jména,
jak živá duše v hrobě uvězněná. 1890
Však náhle zachvění kdes ucítil
a Lúthien, jež pozbyla všech sil,
svým kouzlem udolána, vzápětí
hned zemdlelá mu klesla v objetí.

V úžasu spatřil u nohou svých plát 1895
klenot, jenž z hlavy Morgothovy pad:
v koruně hořící jak plamen bílý
tři skvostné kameny, tři silmarily.
Sám přílbu olbřímí však neunes,
i zaťal prsty urputně jak běs 1900
a z jejích spárů zkoušel vyprostit
toužených drahokamů lesk a třpyt;
darmo se ale v potu lopotil,
než rozpomněl se chladných chvil,
kdy zrána s Curufinem bojoval, 1905
a z opasku hned nahou dýku sňal,
pokleknuv tasil ledovitý břit,
u jehož zrodu bylo slyšet znít
zpěv trpasličích zbrojířů i hlas
nogrodských kovadlin, jež odvál čas. 1910
Jak suché dříví svedl ocel štěpit,
a brnění jak jemnou přízi třepit.
Do spárů železných ťal bez milosti
a jejich stisku ihned kámen zprostil;
uchopil Beren jasný silmaril, 1915
svit jehož do ruda se zakalil
ve dlani sevřené a Beren hned

o kámen druhý jal se pokoušet
z klenotů tří, jimž Fëanorův žár
a zručnost kdysi propůjčily tvar. 1920
Však ještě nenadešel pravý čas
k svobodě přivést veškerý ten jas.
Proradná čepel věrolomné dýky
v Nogrodu ukovaná trpaslíky
zapěla náhle pronikavým hlasem, 1925
praskla a rázem ve dví rozpadla se;
načež jak šíp či zatoulaná střela
se lehce dotkla Morgothova čela;
v tu chvíli v srdcích strach jim vzklíčil zas,
když uslyšeli hrobový ten hlas, 1930
neb temný vládce hnedle ze sna vzdych,
jak vítr sténající v jeskyních.
Pak ze tmy zavál dech a vlk i skřet
div z dřímot nezačal se probouzet,
div balrog spánek těžký nesetřes, 1935
zatímco ozvěnou se síní nes
odkudsi z dáli zvuk, jenž bázeň nítí:
mrazivě táhlé vlkodlačí vytí.

Zas šerem ponurým a chodeb tmou,
kde ticho mrtvolné zní ozvěnou, 1940
od samých základů všech hor a skal,
kde zloby přízrak v hloubi přebýval,
jak duchové se kradli po špičkách,
děs v uších zněl jim, z očí sálal strach,
když spolu utíkali bok po boku, 1945
neb děsili se zvuku vlastních kroků.

Nakonec v dáli zřeli záblesk dne,
mohutný oblouk brány kamenné,

jež vposled ústila ven z temné sloje,
kde ovšem nové zlo již čekalo je. 1950
Tam na prahu se tyčil obrovitý
Carcharoth, netvor zákeřný i lítý;
oči mu žhnuly, ohněm planul chřtán,
morda jak hrob mu zela dokořán,
pohledem prohledával každý kout 1955
číhaje na ty, kdo by uprchnout
z angbandských žalářů se pokoušeli:
ni stín ven nepustil by strážce bdělý.
Jak jen jej zdolat – silou snad, či lstí?
Zda před smrtí se utéct poštěstí? 1960

I lehký krok však jeho uším duněl
a chřípí rozechvěla sladká vůně,
dříve než Beren nebo Lúthien
uzřeli, kdo jim brání v cestě ven.
Carcharoth protáhl se, spánek střás 1965
a tiše v skrytu číhal. Náhle v ráz
vyskočí ze tmy, bleskem se k nim řítí
a všude rozléhá se hrůzné vytí.

Nebyl čas úskokem jej obelstít,
nebyl čas kouzlem si jej podmanit. 1970
I Beren stranou stáhne Lúthien,
kupředu vykročí, jsa připraven
do smrti bránit svou Tinúviel,
ač zbraň mu trpký osud odepřel.
Tak levicí hned stiskne hrdlo vlčí, 1975
pravicí udeří jej mezi oči –
tou pravou dlaní, v níž svou záři vlil
posvátný klenot, jasný silmaril.
Jak ostří v ohni zaleskne se řad
tesáků krvelačných, jež svůj hlad 1980
nasytit touží masem smrtelníka,

zapraská kost a šlacha, krev již stříká,
Carcharoth sklapne čelist tvrdší kovu
a rázem zhltne ruku Berenovu;
tak uvrhne s ní v nečistou svou tlamu 1985
i světlo posvátného drahokamu.

Skladba pokračuje dalšími pěti verši na samostatném listu:

Raněný Beren u zdi vrávoral,
však levicí jak štítem bránil dál
překrásnou Lúthien, jež s hrůzou zřela,
jak muka bolestná jej obestřela,
a vykřiknuvši klesla v mrákotách.

Koncem roku 1931 otec *Zpěv Leithian* v tomto bodě příběhu Berena a Lúthien opustil, ale jeho narativní strukturu, kterou představil tištěný *Silmarillion*, měl z větší části hotovou. Po dokončení *Pána prstenů* však ve *Zpěvu Leithian*, který ležel od roku 1931 nedotčený, provedl několik rozsáhlých revizí (viz Dodatek, str. 199); zdá se však jisté, že veršovanou verzi svého příběhu nijak nerozšiřoval, až na následující pasáž, nalezenou na samostatném listě nadepsaném „kousek ze závěru básně“.

Tam v hloubi lesa, jímž se potok vine,
kde stromy sklání koruny své stinné
a kmeny tiše do výše se pnou
nad lesklou zelenavou hladinou,
v listoví tichém náhle zašumělo
a rázem šepotem se šero chvělo,
když vítr zavanul v ten chladný les
hlas vzdálený, jež ozvěnou se nes
jak dřímajících sotva slyšný dech
a mrazivý jak věčný smrti vzdech:
„Dlouhá je cesta šerou pěšinou,
kde nikdo nezanechal stopu svou,
tam kdesi za horami, za mořem!
Tam někde leží Blahobytná zem,
však Země ztracených to ještě není,

kde mrtví přebývají v zapomnění.
Kde měsíc nesvítí a ticho vládne,
a tlukot srdce, hlasy, zvuky žádné
zde neuslyšíš; hluboký však sten
zazní tu pokaždé, kdy dovršen
je jeden věk. Tam v bezlunném tom kraji
ve stínech mrtví dlí a vyčkávají.“

Quenta Silmarillion

V následujících letech se otec pustil do nové, prozaické verze dějin Starých časů, která se nachází v rukopisu s názvem *Quenta Silmarillion*, který tu označuji jako QS. Nenašel jsem ani stopu po mezičláncích mezi QS a předcházejícím *Quenta Noldorinwa* (str. 77), nějaké však existovat musely. Od bodu, kdy příběh Berena a Lúthien vystupuje do dějin *Silmarillionu*, máme několik velmi neúplných konceptů, svědčících o otcově váhání mezi delší a kratší verzí legendy. Úplnější varianta, kterou pro naše účely můžeme označit QS I, byla pro svou délku opuštěna v bodě, kdy král Felagund v Nargothrondu předává korunu svému bratrovi Orodrethovi (str. 82, úryvek z *Quenta Noldorinwa*).

Následuje velmi povšechný náčrt celého příběhu, který se stal základem druhé, „kratší" verze QS II, uchované ve stejném rukopise jako QS I. Zejména z těchto dvou variant jsem odvodil příběh o Berenovi a Lúthien ve znění otištěném v *Silmarillionu*.

Práce na QS II pokračovaly ještě v roce 1937, kdy bylo třeba brát v úvahu okolnosti zcela odlehlé od dějin Starého věku. Jednadvacátého září vydalo nakladatelství Allen a Unwin *Hobita*. Kniha měla okamžitý úspěch, ten však s sebou nesl požadavky, aby otec napsal o hobitech další knihu. V říjnu napsal Stanleymu Unwinovi, řediteli nakladatelství, že je „na rozpacích. Nenapadá mě, co bych ještě k hobitům řekl. V panu Pytlíkovi se podle všeho plně projevila pytlíkovská i bralovská stránka hobití povahy. Mohu jen hodně povědět, a hodně mám napsáno, o světě, do něhož se náš hobit vydal." Dodal, že by rád znal jeho názor na cenu těchto textů „o světě, do něhož se náš hobit vydal"; uspořádal některé rukopisy a 15. listopadu 1937 je Stanleymu Unwinovi poslal. V tomto souboru byl i QS II, dovedený do okamžiku, kdy Beren vezme do ruky silmaril, který vyřízl z Morgothovy koruny.

Dlouho poté jsem zjistil, že soupis rukopisů, který pořídili v nakladatelství na základě otcova konvolutu, obsahoval krom *Sedláka Jiljího z Oujezda*, *Pana Blahoše* a *Ztracené cesty* (*The Lost Road*) i dvě položky označené *Dlouhá báseň* a *Materiál o Gnómech*, což jsou názvy, které v sobě mají náznak zoufalství. Nevyžádané rukopisy zjevně přistály na stole u Allena a Unwina bez náležitého komentáře. Podivnou historii této zásilky jsem podrobně vylíčil v dodatku k Lays of Beleriand (1985); ale když to zkrátím, je bolestně jasné, že *Quenta Silmarillion* (začleněný mezi „Materiál o Gnómech" spolu s dalšími texty, na které by se toto označení mohlo hodit) v nakladatelství nikdo k posouzení nedostal – až na pár stránek, které byly bez souvislosti (což bylo za těch okolností velmi zavádějící) připojeny ke *Zpěvu Leithian*. Posuzovatele to velmi zmátlo a pokusil se stanovit vztah mezi Dlouhou básní a tímto fragmentem (velmi oceňovaným) prozaického díla (tj. *Quenta Silmarillion*), jeho dohad ovšem byl (zcela pochopitelně) naprosto mylný. Svůj názor i rozpaky vyjádřil v písemné zprávě, přes kterou jiný zaměstnanec napsal, taktéž pochopitelně: „Co s tím budeme dělat?"

Výsledkem tohoto propletence po sobě následujících nedorozumění bylo, že můj otec, který neměl ani tušení, že jeho *Quenta Silmarillion* nikdo nečetl, řekl Stanlweymu Unwinovi, že se raduje z toho, že ho přinejmenším nikdo „pohrdavě" neodmítl, a nyní doufá, „že bude moci, či si bude moci dovolit, otisknout Silmarillion!"

Zatímco byl rukopis QS II u nakladatele, pokračoval ve vyprávění v dalším rukopise *Stíhání Carcharotha*, kde vylíčil Berenovu smrt. Měl v úmyslu tento nový text začlenit do QS II, až se mu rukopisy vrátí, ale když se tak 16. prosince 1937 stalo, *Silmarillion* odložil. Téhož dne se v dopise Stanleymu Unwinovi ještě tázal: „Co by tak mohli hobiti dělat? Dokážou být komičtí, ale jejich komika je maloměšťácká, pokud není zasazena do podstatnějších záležitostí." Ale už o tři dny později, 19. prosince 1937, oznamuje nakladatelství Allen a Unwin: „Napsal jsem první kapitolu nového příběhu o hobitech – Dlouho očekávaný dýchánek."

A tady, jak jsem napsal v Dodatku k *Húrinovým dětem*, nepřetržitá a rozvíjející se tradice *Silmarillionu* ve shrnujícím tvaru *Quenty* skončila ve vrcholném okamžiku, kdy Túrin odchází z Doriathu a stává se psancem. Další události zůstávaly v následujících letech jen ve zhuštěné a nerozvinuté formě *Quenty* z roku 1930, jako by zamrzly, zatímco už při psaní *Pána prstenů* vyvstávaly velkolepé struktury Druhého a Třetího věku. Ale tyto další události měly klíčový význam v dávných legendách, protože následující příběhy (čerpané z původní *Knihy ztracených příběhů*) vyprávěly tragickou historii Húrina, Túrinova otce, poté co ho propustil Morgoth, a o rozvrácení elfských království v Nargothrondu, Doriathu a Gondolinu, o kterých zpívá Gimli v dolech Morie o mnoho tisíc let později:

Svět krásný byl, hory pyšně stály
za Starých časů, než padli
král Nargothrondu, Gondolinu,
když marně vzdorovali stínu,
a dávno jsou již za mořem...

A to se mělo stát završením a vyvrcholením celku – zkáza Noldor v jejich dlouhém boji proti Morghothově moci, a úloha, jakou při tom sehráli Húrin a Túrin; a zakončení *Příběhem o Eärendilovi*, který unikl z hořících trosek Gondolinu.

Mnoho let nato napsal otec v dopisu (16. července 1964): „Nabídl jsem jim legendy Starých časů, ale jejich posuzovatelé je odmítli. Chtěli pokračování. Já ale chtěl hrdinské legendy a romantický děj. Výsledkem byl *Pán prstenů*."

*

Když otec odložil *Zpěv Leithian*, nezanechal explicitní vylíčení toho, co následovalo po chvíli, kdy „Carcharothovy tesáky sklaply jako past" kolem Berenovy ruky svírající silmaril; to musíme hledat v původním *Příběhu o Tinúviel* (str. 57–60), protože tam se vypráví o zoufalém útěku Berena a Lúthien, o pronásledovatelích z Angbandu a o tom, jak je najde Huan a dovede je do Doriathu. V *Quenta Noldorinwa* (str. 106) říká otec jednoduše, že o tom „není mnoho co říci".

Hlavní (a radikální) změna, které si povšimneme v konečné podobě příběhu o návratu Berena a Lúthien, je způsob jejich úniku z bran Angbandu, poté co Carcharoth zraní Berena. O této události, k níž *Zpěv Leithian* nedospěje, se vypráví v *Silmarillionu*:

Zdálo se tedy, že výprava za silmarilem skončí zkázou a zoufalstvím, ale v tu hodinu se nad stěnami údolí objevili tři mohutní ptáci, kteří letěli k severu na křídlech rychlejších než vítr. O Berenově putování a nouzi slyšeli všichni ptáci a zvířata a sám Huan vyzval všechny tvory, aby bděli a pomohli mu. Vysoko nad Morgothovou říší se vznášel Thorondor a jeho vazalové. Viděli Vlkovo šílenství a Berenův pád, a rychle se snesli, právě když se angbandské mocnosti vyprostily z pout spánku.

Zvedli Lúthien a Berena ze země a vynesli je do oblak. (...) [Za letu nad krajinou však] Lúthien plakala, protože myslela, že Beren jistě zemře; nepromluvil a neotevřel oči a o svém letu pak vůbec nic nevěděl. Nakonec je orli složili na hranicích Doriathu; octli se právě v tom údolíčku, odkud se Beren v zoufalství odkradl a nechal Lúthien spát.

Orli ji složili Berenovi po bok a vrátili se do svých hnízd vysoko na štítech Crissaegrim; ale přišel k ní Huan a společně pečovali o Berena jako předtím, když ho léčila z rány zasazené Curufinem. Tato rána však byla zlá a otrávená. Beren ležel dlouho a jeho duch se toulal na temné hranici smrti, ve stálé trýzni, která ho pronásledovala ze snu do snu. Pak najednou, když téměř pozbývala naděje, procitl a vzhlédl. Spatřil listí proti obloze a pod listím slyšel, jak vedle něho tiše a zvolna zpívá Lúthien Tinúviel. A bylo opět jaro.

Od té doby se Beren nazýval Erchamion, totiž Jednoruký, a ve tváři měl vryto utrpení. Byl však nakonec přitažen zpátky do života Lúthieninou láskou, a opět spolu chodili po lesích.

*

Vyprávěli jsme příběh Berena a Lúthien, jak se vyvíjel ve verších i v próze během dvaceti let po původním *Příběhu o Tinúviel*. Z Berena, jehož otcem byl nejdříve Lesník Egnor a patřil k elfskému kmeni Noldoli, což se do angličtiny převádí jako „Gnómové", se po počátečním váhání stal syn Barahira, náčelníka lidí a vůdce skupiny rebelů, kteří se skrývali před Morgothovou krutovládou. Pamětihodný příběh povstal (ve *Zpěvu Leithian* v roce 1925) z Gorlimovy zrady a zabití Barahira (str. 68 a d.). Vëannë, která tento „ztracený příběh" vyprávěla, netušila, co přivedlo Berena do Artanoru, a dohadovala se, že to byla prostě záliba v toulání (str. 34). Beren však byl donucen prchnout na jih, protože se stal po smrti svého otce vyhlášeným nepřítelem Morgotha. A tady, ve chvíli, kdy se za soumraku dívá zpoza stromů Thingolova lesa, příběh Berena a Lúthien začíná.

Velmi pozoruhodným prvkem příběhu, jak ho vypráví *Příběh o Tinúviel*, je zajetí Berena pánem koček Tevildem, když je na cestě do Angbandu, aby získal silmaril; a stejně pozoruhodná je i následná úplná proměna příběhu. Jestliže však řekneme, že kočičí zámek „je" Sauronovou věží na Tol-in-Gaurgoth, „Ostrově vlkodlaků", platí to jedině v tom smyslu, jak jsem upozornil jinde, že zaujímá ve vyprávění stejný „prostor". Jinak nemá smysl hledat mezi těmito místy sebemenší podobnost. Obludné nenasytné kočky, jejich kuchyně a sluneční terasy, jejich podmanivá elfsko-kočičí jména *Miaugion*, *Miaulë*, *Meoita*, to vše bez stopy zmizelo. Ovšem krom jejich odporu ke psům (vzájemná nenávist Huana a Tevilda je důležitým prvkem příběhu) nic neukazuje na to, že by obyvateli zámku byly obyčejné kočky: velmi příznačná je tato pasáž z *Příběhu* (str. 52), kde se odhaluje „kočičí tajemství – kouzlo, jež [Tevildovi] Melko svěřil":

Byla to magická slova, díky nimž držely pospolu kameny jeho domu zla, jejichž zásluhou držel moc nad všemi svými kočičími poddanými a díky nimž oplývaly Tevildovy kočky zlou silou, která převyšovala jejich přirozené schopnosti. Dlouho se o Tevildovi říkalo, že je zlým duchem v těle zvířete.

V této pasáži, ale i jinde, se pozoruhodně ukazuje, jak se rysy a události původního příběhu mohou znovu objevit ve zcela jiné podobě, vycházející ze zcela změněného pojetí vyprávění. Ve starém Příběhu Huan donutil Tevilda, aby kouzlo vyzradil, a když ho Tinúviel vyslovila, „Tevildův dům se začal otřásat; a zevnitř vyběhl zástup jeho obyvatel" (tedy koček). V *Quenta Noldorinwa* (str. 103) přemohl Huan v Tol-in-Gaurhothu strašlivého čaroděje-vlkodlaka, Nekromanta Thû, a „získal od něj klíče i kouzla, jež držela při sobě jeho kouzelné zdi a věže. Pevnost se tak rozpadla, věže se zřítily k zemi a kobky se otevřely. Mnoho zajatců bylo osvobozeno (...)."

Tady se však dostáváme k hlavnímu posunu v příběhu o Berenovi a Lúthien, kterým bylo spojení se zcela samostatnou legendou o Nargothrondu. Zakladatel Nargothrondu Felagund se zavázal Berenovu otci přísahou nehynoucího přátelství a pomoci a byl tak vtažen do Berenovy výpravy za silmarilem (str. 88, verš 157 ad.); a zde se připojuje příběh o elfech z Nargothrondu, kteří v převlečení za skřety padli to zajetí Thûa a skončili své dny v hrůzných žalářích v Tol-in-Gaurothu. Do výpravy za silmarilem se zapojili i Celegorm a Curufin, synové Fëanorovi a mocné osobnosti Nargothrondu, a to skrze ničivou přísahu pomsty na každém, kdo „ukradne, vezme či podrží silmaril proti jejich vůli". Do jejich plánů a intrik je vtažena i Lúthien, uvězněná v Nargothrondu, odkud ji však vysvobodí Huan: str. 117–18, v. 247–72.

Zbývají ty rysy příběhu, kterými také vrcholí a které podle mého názoru měly prvořadou důležitost pro jeho autora. Nejstarší zmínky o osudu Berena a Lúthien, když Beren zahyne při lovu na Carcharotha, se nacházejí v *Příběhu o Tinúviel*; v této době však byli Beren i Lúthien elfové. Praví se zde (str. 64):

„Tinúviel, zdrcena žalem, nedokázala na celém světě nalézt útěchu ani světlo a brzy jej po oněch temných cestách, kudy každý musíme kráčet sám, následovala. Její krása a něžná vlídnost však obměkčila dokonce i Mandosovo chladné srdce, takže jí povolil vyvést Berena znovu na svět, což od té doby nebylo dovoleno žádnému člověku ani elfovi (...) Mandos však oněm dvěma pravil: ‚Slyšte, elfové, nevypouštím vás do života dokonalé radosti, protože nic takového ve světě, kde sedí Melko se svým zlým srdcem, již neexistuje – a vězte, že budete smrtelní jako lidé, a až sem znovu dojdete, bude to již navždy.'"

Z této pasáže je zřejmé, že příběh Beren a Lúthien pokračoval ve Středozemi („jejich pozdější skutky byly nesmírně velké a traduje se o nich mnoho příběhů"), ale neříká se o něm víc, než že byli *i-Cuilwarthon*, Mrtví, kteří žijí, „a staly se z nich mocné bytosti sídlící v krajích kolem severního toku Sirionu".

V jiné ze *Ztracených pověstí*, nazvané *Příchod Valar*, se vypráví o těch, kdo přijdou do Mandosu (síně pojmenované po jejich bohu, jehož pravé jméno bylo Vê):

Sem se pak odebrali elfové ze všech kmenů, kteří byli nešťastnou náhodou zabiti zbraní či zemřeli žalem nad těmi, kdo byli zabiti – a jenom takto mohou Eldar zemřít, a i tak jen načas. Mandos pak určil jejich sudbu, a zde čekali v temnotě a snili o svých minulých skutcích, dokud nepřišel čas, který určil, aby se znovu zrodili ve svých dětech a vyšli do světa a opět se smáli a zpívali.

S tím můžeme porovnat nezařazené verše ze *Zpěvu Leithian* o „Zemi ztracených ... kde mrtví přebývají v zapomnění" citované na str. 171–2:

Kde měsíc nesvítí a ticho vládne,
a tlukot srdce, hlasy, zvuky žádné
zde neuslyšíš; hluboký však sten
zazní tu pokaždé, kdy dovršen
je jeden věk. Tam v bezlunném tom kraji
ve stínech mrtví dlí a vyčkávají.

Představa, že elfové umírají jedině na zranění zbraní nebo žalem, přetrvala a objevuje se i v tištěném *Silmarillionu*:

Elfové totiž neumírají, dokud nezemře svět, jestliže nejsou zabiti nebo se neutrápí (a oběma těmto zdánlivým smrtím podléhají), ani věk jim neubírá sílu, ledaže někoho znaví deset tisíc století; když zemřou, jsou vzati do síní Mandosu ve Valinoru, odkud se mohou časem vrátit. Ale lidští synové umírají doopravdy a opouštějí svět, proto jsou nazváni Hosty nebo Cizinci. Jejich osudem je smrt, Ilúvatarův dar, který jim v únavě Času budou závidět i mocnosti.

Zdá se mi, že z Mandosových slov z *Příběhu o Tinúviel* citovaných výše, „budete smrtelní jako lidé, a až sem znovu dojdete, bude to již navždy“, plyne, že zvrátil jejich osud jakožto elfů: když zemřou smrtí, která je pro elfy možná, nezrodí se znovu, ale bude jim dovoleno – výjimečně – opustit Mandos ještě ve své vlastní podobě. Ale zaplatí za to, protože až zemřou podruhé, nebude pro ně žádná možnost návratu, žádná „zdánlivá smrt“, ale smrt, které podle své přirozenosti podléhají lidé.

Později, v *Quenta Noldorinwa* je řečeno (str. 108), že „Lúthien rychle chřadla a chřadla, až se zcela vytratila ze světa (...). A ona vstoupila do Mandosových síní a zapěla mu tak krásný příběh o dojemné lásce, že ho pohnul k soucitu, jako niž nikdy potom.“

Přivolal Berena, a tak, jak Lúthien přísahala, když jej líbala v hodině jeho smrti, se znovu setkali za západním mořem. A Mandos jim dovolil odejít, ale pravil, že Lúthien se *stane smrtelnicí stejně jako její milý*, že znovu odejde ze světa *po způsobu smrtelných žen* a že z její krásy zbude jen vzpomínka v písni. A tak se stalo. Ale také se říká, že jako náhradu Mandos Berenovi a Lúthien propůjčil dlouhou dobu života a radosti a oba se toulali krásným Beleriandem, neznajíce žízně ani chladu, a žádný smrtelník pak už s Berenem ani jeho chotí nepromluvil.

V pracovní verzi příběhu Berena a Lúthien, připravovaného pro *Quenta Silmarilliion*, o které je řeč na str. 173, se objevuje myšlenka „volby osudu", která se předkládá Berenovi a Lúthien před Mandosem:

A taková byla volba, kterou stanovil pro Berena a Lúthien. Budou až do konce světa dní žít v blaženosti ve Valinoru, nakonec ale, až se všechny věci promění, se každý musí odebrat, kam je určeno jeho plemeni: a Ilúvatarovy záměry, které se týkají lidí, Manwë [pán Valar] nezná. Anebo se mohou vrátit do Středozemě, ale bez záruky radosti a života. Lúthien se stane smrtelnou jako Beren a podlehne druhé smrti; nakonec opustí svět navždy a její krása bude jen vzpomínkou v písni. A tuto sudbu si zvolili, tak aby, ať by na ně čekal jakýkoli zármutek, zůstaly jejich osudy spojeny a jejich stezky společně vedly přes hranice světa. Tak Lúthien jako jediná z Eldalië skutečně zemřela a dávno opustila svět; v ní se však spojila obě plemena a je pramatkou mnohých.

Motiv „volby osudu" zůstal zachován, jen v jiné formě, jak se ukazuje v *Silmarillionu*: jen Lúthien jsou předloženy možnosti a dostaly jinou podobu. Lúthien může opustit Mandos a žít do zániku světa ve Valinoru, pro svou námahu a žal a protože je dcerou Melian; ale Beren tam přijít nemůže. Pokud tedy Lúthien tuto možnost přijme, musí zůstat navždy odloučeni: neboť on nemůže uniknout svému osudu, uniknout smrti, která je darem Ilúvatarovým, jenž nesmí být odmítnut.

Druhá možnost zůstala stejná, a právě tu si Lúthien zvolila. Jenom tak mohla zůstat s Berenem „za hranicemi světa": když změní osud svého plemene: musí se stát smrtelnicí a nakonec zemřít.

Jak už jsem řekl, příběh Berena a Lúthien se neuzavírá Mandosovým soudem. Je třeba nějak shrnout, co následovalo, a vylíčit historii silmarilu, který Beren vyřízl z Morgothovy koruny. Není snadné udělat to ve formě, kterou jsem zvolil pro tuto knihu, především proto, že Berenova role v jeho druhém životě závisí na určitých aspektech historie Prvního věku, jejichž vylíčení by znamenalo rozhodit sítě šířeji, než odpovídá účelu této knihy.

Napsal jsem (str. 77), že *Quenta Noldorinwa* z roku 1930, která vychází z *Náčrtu mytologie* a rozšiřuje ho, zůstává „stručným a zhuštěným výkladem": podtitul této práce říká, že jde o „stručné dějiny Noldoli čili Gnómů, čerpající z *Knihy ztracených příběhů*". O těchto „shrnujících textech" jsem napsal ve *Válce o klenoty* (*The War of the Jewels*, 1994): „V těchto variantách otec čerpá z dlouhých, již existujících prozaických i veršovaných textů (které samozřejmě průběžně rozvíjí a rozšiřuje) a v *Quenta Silmarillion* dovedl k dokonalosti onen charakteristický tón, melodický, zasmušilý, elegický, obtížený pocitem ztráty a vzdálenosti v čase, který podle mého názoru vychází zčásti z literární skutečnosti, že čerpá ze stručného shrnutí historie, kterou zároveň vidí v mnohem podrobnější, bezprostřednější a dramatičtější podobě. S dokončením *Pána prstenů*, který představoval velké „narušení", se vrací ke Starým časům s touhou navázat znovu na širší škálu, se kterou začal už dávno předtím v *Knize ztracených příběhů*. Cílem zůstává dokončení *Quenta Silmarillion*; avšak k „velkým příběhům", které by vznikly rozsáhlým rozpracováním jejich původní podoby – jež dala základ pozdějším kapitolám – nikdy nedospěl.

Máme tu co do činění s příběhem, který sahá až k poslední napsané Ztracené pověsti, kde nese název Příběh o Nauglafringu: tak znělo původní jméno Naugamíru, Náhrdelníku trpaslíků. Dostáváme se tu však k nejvzdálenější otcově práci o Starých časech vzniklé v čase po dokončení *Pána prstenů*: žádné nové vyprávění nevzniklo. Abych se opět vrátil ke svému výkladu k *Válce o klenoty*, „je to jako bychom stanuli na okraji velkého útesu a z výšin vztyčených v nějaké pozdější době shlíželi na prastarou pláň dole. Kvůli příběhu o Nauglamíru a zničení Doriathu ... se musíme vrátit o více než čtvrt století až ke *Quenta Noldorinwa* či dál". Ke *Quenta Noldorinwa* se vrátím i teď a představím relevantní text v mírně zkrácené podobě.

Příběh začíná vyprávěním o dalších osudech pokladu Nargothrondu, který si podmanil zlý drak Glómund. Když draka zabije Túrin Turanbar, přijde jeho otec Húrin s několika psanci z lesů do Nargothrondu, který se až dosud neodvážil vyplenit žádný skřet, elf ani člověk, a to ze strachu před Glómundovým duchem a jeho památkou. Tady však nacházejí trpaslíka Mîma.

Návrat Berena a Lúthien podle Quenta Noldorinwa

Mîm tedy nalezl síně a poklad Nargothrondu nehlídány, a přivlastnil si je, a radostně tam usedl a probíral se zlatem a drahokamy, a nechal si je protékat mezi prsty, a připoutal je k sobě mnoha kouzly. Ale Mîm měl při sobě jen málo čeledi a psanci chtiví pokladů ji pobili, i když Húrin jim bránil, a Mîm v okamžiku své smrti zlato proklel.

[Húrin hledal pomoc u Thingola a jeho lidé přenesli poklad do Tisíce jeskyní; Húrin pak odešel.]

Kouzlo prokletého dračího zlata si pak začalo podmaňovat i krále Doriathu; dlouho seděl a hleděl na ně a sémě lásky k zlatu v jeho srdci vzklíčilo k růstu. Pročež shromáždil nejlepší řemeslníky, které teď západní svět znal, protože Nargothrondu už nebylo (a o Gondolin nikdo nevěděl) – trpaslíky z Nogrodu a Belegostu, kteří mohli ze zlata, stříbra a drahých kamenů vypracovat nesčetné poháry a krásné věci;

a také skvostný náhrdelník převeliké krásy udělali, na který byl zavěšen silmaril.*

Avšak přicházející trpaslíci byli okamžitě přemoženi žádostivostí a touhou po pokladu a zosnovali zradu. Říkali si mezi sebou: „Cožpak na toto bohatství nemají stejné právo trpaslíci, jako král elfů, cožpak ho zlovolně nevyrvali Mîmovi?" Prahli však i po silmarilu. A Thingol, podléhající stále více kouzlu, je zkrátil na odměně přislíbené za jejich práci, padla mezi nimi trpká slova a v Thingolových síních vypukl boj. Mnoho elfů i trpaslíků bylo zabito, a pohřebiště, kam byli v Doriathu uloženi, dostalo jméno Cûm-nan-Arasaith, Mohyla hrabivosti. Ale zbylí trpaslíci byli vyhnáni bez odměny či mzdy.

Proto v Nogrodu a Belegostu shromáždili nové síly a posléze se vrátili. Díky zradě některých elfů, které přemohlo kouzlo prokletého pokladu, pronikli tajně do Doriathu.

Tady překvapili Thingola na lovu, doprovázeného jen hrstkou bojovníků; Thingol byl zabit a nepřipravená pevnost Tisíce jeskyní byla vypleněna; sláva Doriathu tak byla bezmála zničena a zůstala už jen jediná elfská pevnost vzdorující Morgothovi [Gondolin] a soumrak elfů se přiblížil.

Královně Melian trpaslíci ublížit nemohli, ani ji zajmout; vydala se hledat Berena a Lúthien. Trpasličí silnice do Nogrodu a Belegostu v Modrých horách vedla východním Beleriandem a lesy kolem řeky Gelion, kde bývala loviště Fëanorových synů Damroda a Díriela. Na jih od těchto krajů, mezi řekou Gelion a horami se rozkládala země Ossiriand a zde žili a toulali se dosud v míru a blaženosti Beren a Lúthien, v onom čase odkladu, který pro ně Lúthien získala, než jim bude oběma zemřít; a jejich lidem byli Zelení elfové z jihu. Beren je však nevedl do války a jeho země byla plná nádhery a bohatství květin, a lidé ji často nazývali Cuilwarthien, Země mrtvých, kteří žijí.

* *V pozdější verzi příběhu o Naglamíru se říká, že ho trpasličtí klenotníci vyhotovili mnohem dříve pro Felagunda a že to byl jediný poklad, který Húrin odnesl z Nargothrondu a dal Thingolovi. Thingol pak uložil trpaslíkům, aby náhrdelník předělali tak, aby se do něj dal zasadit silmaril, který měl ve svém vlastnictví. V této podobě se příběh objevuje v tištěném* Silmarillionu.

Na sever od tohoto kraje je brod přes řeku Ascar, který nese jméno Sarn Athrad, Kamenitý brod. Tento brod museli trpaslíci přejít na cestě k horským průsmykům, jež vedly k jejich domovům; a zde vybojoval Beren svou poslední bitvu, když ho před příchodem trpaslíků varovala Melian. V této bitvě Zelení elfové trpaslíky zaskočili uprostřed brodu, obtížené kořistí; pohlaváři trpaslíků byli pobiti a stejně tak bezmála celá jejich družina. A Beren si ponechal trpasličí náhrdelník Nauglamír, na kterém byl zavěšen silmaril, a v písních se říká, že náhrdelník nosila Lúthien a že ten nesmrtelný klenot na jejích bílých ňadrech byl obrazem největší krásy a nádhery, jaký kdy byl k vidění mimo hranice Valinoru, a Země mrtvých, kteří žijí, se na krátký čas stala obrazem země Bohů, a od těch dob už žádné místo nebylo tak nádherné, úrodné a naplněné světlem.

Melian je však varovala před kletbou, která ležela na pokladu i na silmarilu. Poklad proto potopili do řeky Ascar a přejmenovali ji na Rathlorion, Zlaté řečiště, silmaril si však ponechali. A když přišel čas, krátká hodina nádhery v zemi u Ratholorionu pominula. Neboť Lúthien uvadla, jak pravil Mandos, tak jako uvadali elfové pozdějších časů, a vytratila se ze světa;* a Beren zemřel a nikdo neví, kde se znovu setkají.

Králem v lesích se pak stal Dior, syn Berena a Lúthien a Thingolův dědic; byl nejsličnější ze všech dětí světa, neboť byl trojího plemene: z nejkrásnějších a nejdobrotivějších lidí, elfů a božských duchů Valinoru; ani to ho však neuchránilo před osudnou přísahou synů Fëanorových. Dior se totiž vrátil do Doriathu a jeho někdejší sláva na čas znovu povstala, avšak Melian neprodlévala na tom místě a odebrala se do země Bohů za západním mořem, a v tamních zahradách přemítala o svých strastech.

Dior však nosil na hrudi silmaril a pověst o tom klenotu se roznesla široko daleko; a ze spánku opět procitla nesmrtelná přísaha.

Dokud ten neporovnatelný drahokam nosila na hrudi Lúthien, žádný elf by se ji neodvážil napadnout; ani Maidros by se neodvážil na něco takového pomyslet. Když se však sedmero doslechlo o obnovení Doriathu

* *Způsob Lúthienina odchodu měl být opraven; otec toto místo označil a později dopsal: „Avšak v písních se zpvá, že Lúthien se jako jediná z elfů řadí k našemu plemeni a odejde tam, kam jdeme my, k osudu za hranicemi světa.“*

a Diorově pýše, ustali v potulkách a znovu se shromáždili; a vyslali k Diorovi poselstvo a žádali, co jim patřilo. On jim však klenot nevydal, a tak proti němu vytáhli se všemi svými voji; a nastalo druhé zabíjení elfů elfy, nejbolestnější ze všech. Padl zde Celegorm i Curufin a zlověstný Caranthir, ale Dior byl zabit a Doriath zničen, a nikdy už nepovstal.

Silmaril však Fëanorovi synové nezískali: věrní služebníci před nimi prchli s Diorovou dcerou Elwing; unikla jim, a vzali s sebou Nauglafring a časem dospěli k místu, kde řeka Sirion ústí do moře.

[V textu, který vznikl později než *Quenta Noldorinwa* a byl nejranější formou *Letopisů Beleriandu*, se příběh proměnil; Dior se v něm vrací do Doriathu, když ještě Beren a Lúthien žijí v Ossiriandu. Co se mu přihodilo tam, zde uvádím slovy *Silmarillionu*:

Jednoho podzimního večera, když se připozdívalo, kdosi přišel, zabušil na dveře Menegrothu a dožadoval se vstupu ke králi. Byl to jeden pán Zelených elfů spěchající z Ossiriandu a stráže ho odvedly do komnaty, kde o samotě seděl Dior; mlčky podal králi skříňku a odešel. Ve skříňce však ležel trpasličí náhrdelník se vsazeným silmarilem. Dior na něj pohlédl a viděl znamení, že Beren Erchamion a Lúthien Tinúviel opravdu zemřeli a odešli tam, kam jde lidský rod, k osudu za hranicemi světa.

Dlouho hleděl Dior na silmaril, který jeho otec s matkou proti všemu očekávání vynesli z Morgothovy hrůzy, a velmi ho rmoutilo, že jejich smrt přišla tak brzy.]

Výňatek ze Ztraceného příběhu *o Nauglafringu*

Zde opustím chronologii psaní a zaměřím se na *Ztracený příběh* o Nauglafringu. Důvodem je to, že uvedený úryvek je význačným příkladem košatého stylu, který věnuje pozornost vizuálním a často dramatickým podrobnostem, který si otec osvojil v počátcích psaní *Silmarillionu*; tento *Ztracený příběh* jako celek však sleduje dějové linie, jež nejsou pro tuto knihu nezbytné. Bitva u Sarn Anthradu, Kamenitého brodu, se tedy objevuje ve velmi stručném shrnutí podle *Quenty* (str. 184), a zde následuje úplnější líčení ze *Ztraceného příběhu*, jehož součástí je i Berenův souboj s Naugladurem, pánem trpaslíků z Nogrodu v Modrých horách.

Úryvek začíná příchodem trpaslíků, vedených Naugladurem, k Sarn Athradu na zpáteční cestě z vypleněné pevnosti Tisíce jeskyní.

Tu přišel celý zástup [k řece Ascar] a jejich uspořádání bylo takové: nejprve množství trpaslíků bez nákladu a v plné zbroji; uprostřed pak velká družina těch, kdo nesli Glómundův poklad a s ním mnohé krásné věci, které odvlekli z Tinwelintových síní; a za nimi jel Nauglandur, který si osedlal Tinwelintova koně, a byl na něj prazvláštní pohled, neboť trpaslíci mají krátké a zkřivené nohy, koně však dva trpaslíci vedli, protože nechtěl jít a byl obtížen lupem. A za nimi šel zástup ozbrojených mužů s malým nákladem; a v tomto pořadí chtěli ve dni své zkázy překročit Sarn Athrad.

Bylo ráno, když dospěli k bližšímu břehu, a poledne je zastihlo, jak se dosud v dlouhých zástupech pomalu brodí mělkými místy bystrého proudu. Ten se zde rozšiřuje a plyne úzkými kanály plnými balvanů mezi dlouhými jazyky z oblázků a menších kamenů. To už Nauglandur sklouzl ze svého obtíženého koně a připravil se na přechod, protože ozbrojený předvoj už vyšplhal na protější břeh, který byl vysoký a strmý a hustě porostlý stromy, a již na něj vystoupili i někteří z nosičů zlata, zatímco jiní byli ještě uprostřed proudu a ozbrojenci v zadním voji na chvíli odpočívali.

Náhle se celé okolí zaplnilo zvukem elfských rohů, a mezi nimi [? zařičel] jeden jasnějším zvukem, a byl to roh Berena, lovce z lesů. Vzápětí vzduch zhoustl štíhlými šípy Eldar, a žádný z nich neminul a vítr ho neodchýlil, a hle, znenadání zpoza všech stromů a balvanů vyskakují hnědí i zelení elfové a bez ustání vypouštějí šípy z plných toulců. Probudil se nepokoj a křik v Naugladurově voji a ti, kdo vešli do brodu, zahodili své zlaté břemeno do vody a ve strachu mířili k některému břehu, mnohé však dostihly nemilosrdné střely a padli i se zlatem do proudů Arosu a poskvrnili tmavou krví jeho čiré vody.

To už bojovníky na vzdálenějším břehu [? pohltil] boj; vzmužili se a pokusili se udeřit na své nepřátele, ti však před nimi obratně uhýbají, zatímco [? ostatní] je stále zasypávají deštěm šípů, a tak elfové utržili jen několik zranění a trpasličí lid bez ustání umíral. To už se velká bitva na Kamenitém brodu (...) přiblížila k Naugladurovi, neboť Naugladur a jeho pohlaváři vedli sice své voje zdatně, nedokázali sevřít své nepřátele a smrt se snášela do jejich řad jako déšť, až se jejich zástupy povětšinou rozpadly a prchly, a nato se od elfů rozlehl zvuk jasného smíchu a oni upustili od dalšího střílení, protože neladné postavy prchajících trpaslíků a jejich bílé brady rozcuchané větrem je plnily veselím. Tu však stál Naugladur a pár dalších s ním, a on si vybavil slova Gwendelin,*

* *Dříve v tomto příběhu prohlásil Naugladur na odchodu z Menegrothu, že Gwendelin, královna Artanoru (Melian) s ním musí odejít do Nogrodu, na což odvětila: „Zloději a vrahu, potomku Melka, jak jsi pošetilý, vždyť ani nevíš, co visí nad tvou vlastní hlavou.“*

neboť hle, přišel k němu Beren a odhodil svůj luk a vytasil ostrý meč; a Beren mezi elfy vynikal svým vzrůstem, byť nebyl tak široký a statný jako trpaslík Naugladur.

Pak pravil Beren: „Braň svůj život, můžeš-li, křivonohý vrahu, nebo tě o něj připravím," a Naugladur mu nabídl Nauglafring, čarovný náhrdelník, když ho ušetří, ale Beren opáčil: „Ne, ten si mohu vzít i tak, až budeš mrtev," a na ta slova zaútočil na Naugladura a jeho společníky; a zabil toho, jenž stál nejvíce vpředu, a ostatní se za smíchu elfů rozprchli, a Beren udeřil na Naugladura, Tinwelintova vraha. A on, ač nemladý, se bránil statečně a nastal lítý boj, a mnozí z přihlížejících elfů ve strachu o svého velitele a z lásky k němu sahali po tětivách, ale Beren, nepřestávaje bojovat, zavolal, ať zdrží své ruce.

Příběh nepraví mnoho o ranách a úderech v této potyčce, jen to, že Beren utržil mnohá zranění a mnohé z jeho nejobratnějších výpadů ublížily Naugladurovi jen málo pro [? vypracování] a kouzla jeho trpasličí zbroje; a říká se, že bojovali po tři hodiny a Berenovi ztěžkly paže únavou, ne však paže Naugladurovy, uvyklé třímat v kovárně těžký perlík, a nebýt Mîmova prokletí, dopadlo by všechno jinak; protože vida, jak Beren zeslábl, dorážel na něj Naugladur o to více, a do srdce mu vstoupila domýšlivost, jež povstala z onoho hrozného zakletí, a pomyslel si: „Zabiji toho elfa a jeho lid se přede mnou ve strachu rozprchne," sevřel svůj meč a mocně udeřil volaje: „Okus svou zhoubu, holobrádku z lesů!", leč v té chvíli jeho noha nalezla rozeklaný kámen a on klopýtl kupředu; Beren však uhnul před jeho výpadem a popadl Naugladura za vousy. Jeho ruka v tu chvíli nahmátla zlatý nákrčník a trhnuv za něj, připravil trpaslíka o půdu pod nohama a přitáhl si ho ke tváři; a Naugladur upustil meč, avšak Beren ho zachytil a trpaslíka proklál, řka: „Neposkvrním svůj čistý meč tvou temnou krví, není toho třeba." Naugladurovo tělo však bylo vrženo do Arosu.

Rozepnul náhrdelník a v úžasu na něj hleděl – a spatřil silmaril, právě ten klenot, jejž získal v Angbandu, kterýžto skutek mu vysloužil nehynoucí slávu; a pravil: „Nikdy tě mé oči nespatřily, ó lampo Faerie, zářit ani zpoloviny tak jasně jako nyní, kdy jsi zasazen do zlata mezi drahokamy a kouzla trpaslíků," a smyl z náhrdelníku, čím byl poskvrněn, a nezahodil ho, nevěda nic o jeho moci, a odnesl si ho do lesů Hithlumu.

Této pasáži z *Příběhu o Nauglafringu* odpovídá v *Quentě* těch několik slov, která jsem citoval na str. 184:

V této bitvě Zelení elfové trpaslíky zaskočili uprostřed brodu, obtížené kořistí; pohlaváři trpaslíků byli pobiti a stejně tak bezmála celá jejich družina. A Beren si ponechal trpasličí náhrdelník Nauglamír, na kterém byl zavěšen silmaril (...).

To dokresluje můj komentář na str. 181, že otec „čerpá ze stručného shrnutí historie, kterou zároveň vidí v mnohem podrobnější, bezprostřednější a dramatičtější podobě".

Toto krátké nahlédnutí do *Ztraceného příběhu* o trpasličím náhrdelníku uzavřu další citací, a sice počátku příběhu o smrti Berena a Lúthien a zabití jejich syna Diora, vyprávěného v Quentě (str. 184–5). Tento výňatek započínám slovy, která si řeknou Beren a Gwendelin (Melian), když si Lúthien poprvé připne Nauglafring. Beren prohlásí, že nikdy nevypadala tak nádherně, ale Gwendelin řekne: „Avšak silmaril dlel v Melkově koruně, a to je dílo kovářů vskutku zlovolných."

Nato pravila Tinúviel, že netouží po drahocenných věcech ani po drahých kamenech, ale po veselí elfů v lesích, a k radosti Gwendelin ho sňala z hrdla; ale Beren tím nebyl příliš potěšen a nestrpěl, aby ho zahodila, ale uložil ho ve své [? pokladnici].

Poté Gwendelin setrvala nějaký čas s nimi v lesích a byla uzdravena [ze zdrcujícího žalu ze ztráty Tinwelinta]; a nakonec se toužebně odebrala do Lórienu a nikdy už nevstoupila do příběhů obyvatel Země. Na Berena a Lúthien však rychle dopadla sudba smrtelníků, kterou nad nimi vyřkl Mandos, když je vyprovázel ze svých síní – a možná že i Mimova kletba měla [? vliv], že tato sudba přišla dříve. Tentokrát se však ty spřízněné duše nevydaly na cestu společně; ještě když byl jejich syn Dior Sličný malý, pomalu uvadala, tak jako elfové pozdějších časů po celém světě, a zmizela v lesích a nikdo už ji tam neuviděl tančit. Avšak Beren prohledal všechny kraje Hithlumu a Artanoru a toulal se v jejích stopách, a nikdo z elfů nezažil větší samotu než on, až nakonec také uvadl a odešel ze života, a jeho syn Dior se stal vládcem hnědých a zelených elfů a pánem Nauglafringu.

Snad je pravda, co říkají všichni elfové, totiž že oba loví v Oroměho lesích ve Valinoru a Tinúviel povždy tančí na zelených lučinách Nessy a Vány, dcer Bohů; velký však byl zármutek elfů, když od nich odešel Guilwarthon, bez vůdce a s umenšenými kouzly se umenšil i jejich počet; mnozí se odebrali do Gondolinu, o jehož rostoucí moci a slávě se potajmu šeptalo mezi všemi elfy.

I tak Dior, když dospěl, panoval početnému lidu. Miloval lesy bezmála stejně jako Beren a v písních se o něm mluvilo jako o Ausiru Bohatém pro onen úchvatný drahokam zasazený do trpasličího náhrdelníku, který vlastnil. Příběhy o Berenovi a Tinúviel však v jeho srdci vybledly, začal nosit náhrdelník na krku a miloval jeho krásu nade vše. Sláva toho klenotu se šířila po všech krajinách Severu jako požár a elfové si mezi sebou říkali: „V lesích Hilsilómë hoří silmaril."

Příběh o Nauglafringu podrobně vypráví o napadení Diora a jeho smrti z rukou Fëanorových synů; a tento poslední ze *Ztracených příběhů*, který dostal souvislou podobu, končí útěkem Elwing:

Toulala se v lesích; přidružilo se k ní několik hnědých a zelených elfů a navždy odešli z hithlumských pasek, až se dostali na jih k hlubokým vodám Sirionu a do líbezných krajů kolem nich.

A takto se osudy všech elfů spletly v jediný pramen, a tím pramenem je velká pověst o Eärendelovi, a ke skutečnému počátku této pověsti se právě dostáváme.

*

V *Quenta Noldorinwa* následují pasáže, které se týkají historie Gondolinu a jeho pádu, a historie Tuora, který se oženil s Idril Celebrindal, dcerou Turgona, krále Gondolinu, a jejich syna Eärendela, který spolu s nimi unikl ze zničeného města a dostal se k ústí Sirionu. *Quenta* pak pokračuje útěkem Diorovy dcery Elwing z Doriathu k ústí Sirionu (str. 185):

U Sirionu shromáždili elfský lid, pozůstalý po Doriathu a Gondolinu, a pustili se na moře a do stavby štíhlých lodí a přebývali na jeho březích ve stínu Ulmovy ruky. (...)

V těch dnech pocítil Tuor, jak na něj doléhá stáří, a nedokázal už snášet touhu po moři, která ho posedla; proto si vystavěl koráb Eärámë, Orlí peruť, a i s Idril vypluli k soumraku, na Západ, a nevstoupili už do žádného příběhu. Vládcem lidu na Sirionu se stal Eärendel zářivý, pojal za manželku sličnou Elwing, dceru Diorovu. Nedokázal však spočinout. V jeho srdci se snoubila dvojí touha: touha po širém moři a myšlenka, že vypluje za Tuorem a Idril Celebrindal, kteří se nevrátili, a úmysl nalézt poslední pobřeží, a ještě než zemře, předat poselství Bohům a elfům na Západě, které by pohnulo jejich srdcem, aby se slitovali nad světem a útrapami lidstva.

Postavil Wingelot, nejkrásnější z lodí, o kterých se zpívá v písních, Pěnový květ. Byla ze dřeva bílého jako měsíc v úplňku, vesla měla zlatá, stříbrné lanoví, stěžně byly zdobeny hvězdami klenotů. Ve *Zpěvu o Eärendelovi* se zpívá mnohé o jeho dobrodružstvích na hlubinách oceánu a v krajích, kam noha nevkročila, na mnohých mořích a mnohých ostrovech... Ale Elwing seděla utrápená doma.

Eärendel nenašel Tuora a nikdy na této plavbě nedospěl k břehům Valinoru a nakonec ho větry zavanuly zpět na Východ; v čase noci pak dospěl k přístavům na Sirionu, ale nikdo ho nevítal a nevyhlížel, protože přístavy byly opuštěné...

Synové Fëanorovi se dozvěděli o sídle Elwing při ústí Sirionu, a že má v držení Nauglamír a nádherný silmaril, a vrátili se ze svých potulných loveckých výprav a shromáždili se.

Avšak lid v Sirionu nechtěl vydat klenot, který Beren získal a Lúthien nosila a pro nějž byl zabit Dior. A tak došlo k poslednímu a nejkrutějšímu zabíjení elfů elfy, ke třetímu trápení, ke kterému vedla prokletá přísaha, neboť Fëanorovi synové vytáhli proti vyhnancům z Gondolinu a pozůstalým z Doriathu, a přestože někteří z jejich lidí stáli stranou a několik málo se vzbouřilo a bylo zabito, když pomáhali Elwing proti vlastním pánům, přesto vítězství připadlo jim. Damrod byl zabit a s ním i Díriel a ze Sedmera zůstal jen Maidros a Maglor. Avšak poslední z gondolinských byli rozdrceni či přinuceni připojit se k Maidrosovu lidu. A přesto synové Fëanorovi nezískali silmaril, neboť Elwing hodila Nauglamír do moře, kde zůstane až do samého Konce, a sama se vrhla do vln a vzala na sebe podobu bílého mořského ptáka a s nářkem odletěla hledat Eärendela po všech pobřežích světa.

Maidrose však přemohla lítost nad malým Elrondem a vzal ho s sebou, dal mu domov a pečoval o něj, protože jeho srdce bylo choré a unavené břemenem strašlivé přísahy.

Když se tohle všechno Eärendil dozvěděl, přemohl ho žal; a ještě jednou vyplul na moře pátrat po Elwing a po Valinoru. A říká se ve *Zpěvu o Eärendelovi*, že nakonec dospěl k Začarovaným ostrovům a jen tak tak unikl z jejich kouzel, a opět našel Osamělý ostrov a Moře stínu, a Zátoku Faërie na hranicích světa. Zde jako jediný ze smrtelných lidí přistál u pobřeží neumírajících, a jeho nohy vystoupily na kouzelný vrch Kôr, procházel po opuštěných cestách Tûnu, a prach na jeho odění i obuvi byl prachem z démantů a drahokamů. Do Valinoru se však neodvážil.

V Severních mořích vystavěl věž, kam se může čas od času uchýlit veškeré mořské ptactvo celého světa, a nepřestával toužit po sličné Elwing, po tom, aby se k němu vrátila. A Wingelot byl vyzdvižen na jejich křídlech a plachtil teď na obloze a pátral po Elwing; úchvatná a zázračná to byla loď, květina na nebi zalitá svitem hvězd. Ale Slunce ji ožehlo a Měsíc ji pronásledoval po obloze, a Eärendel dlouho bloudil nad Zemí jako mihotavá prchající hvězda.

Tady v *Quenta Noldorinwa* v jejím původním uspořádání příběh Eärendela a Elwing končí; pozdější přepracování této pasáže však radikálně změnilo představu, že by silmaril Berena a Lúthien navždy zmizel v moři. V přepracované verzi stojí:

A přesto Maidros nezískal silmaril, protože když Elwing viděla, že vše je ztraceno a její děti Elros a Elrond padly do zajetí, unikla Maidrosovým vojům a s Nauglamírem na prsou se vrhla do moře a zahynula, jak si lidé mysleli. Avšak Ulmo ji vyzvedl, a na jejích ňadrech zářil silmaril jako hvězda, když letěla přes vody hledat svého milovaného Eärendela. A v nočním čase Eärendel u kormidla spatřil, jak se k němu blíží, jako bílý oblak pod měsícem neskonalé rychlosti, jako hvězda nad mořem putující po podivné dráze, jako bledý plamen na křídlech bouře.

A zpívá se, že spadla ze vzduchu na palubu Wingelotu, v mdlobách, blízka smrti v té bezdeché rychlosti, a Eärendel ji přivinul k hrudi. A s ránem užaslýma očima spatřil vedle sebe svou manželku v její vlastní podobně, její vlasy cítil na své tváři a viděl, že spí.

Odsud už podstatně přepsaný příběh z *Quenta Noldorinwa* dospěl v zásadě k té podobě, jak ji známe ze *Silmarillionu*, a úryvkem z tohoto díla ukončím i příběh v této knize.

Ranní a večerní hvězda

Eärendil a Elwing velmi truchlili nad zkázou sirionských přístavů a nad zajetím svých synů; báli se, že budou zabiti, ale to se nestalo. Maglor se totiž nad Elrosem a Elrondem slitoval, opatroval je a vznikla mezi nimi láska, což nikdo neočekával; ale Maglorovo srdce bylo choré a unavené břemenem strašlivé přísahy.

Eärendil však již neviděl na pevnině Středozemě žádnou naději, a opět se v zoufalství obrátil, neplul domů, ale znovu se vydal hledat Valinor s Elwing po boku. Nyní stál ponejvíc na přídi Vingilotu, silmaril měl uvázaný na čele, a jeho světlo stále sílilo, jak se blížili k Západu. Moudří říkají, že právě mocí toho posvátného klenotu dospěli do vod, jež nepoznal nikdo kromě Teleri, dopluli k Začarovaným ostrovům, unikli jejich čárům a dostali se do Stínových moří, propluli jejich stíny a pohlédli na Tol Eressëu, Osamělý ostrov, ale nezdrželi se tam, a nakonec spustili kotvu v zátoce Eldamaru. Teleri viděli připlouvat tu loď od Východu a byli ohromeni, když zdáli hleděli na světlo silmarilu, jež bylo velmi veliké. Tu Eärendil, první z živých lidí, přistál na nesmrtelných pobřežích a promluvil tam k Elwing a k těm, kteří byli s ním. Byli to tři mořeplavci, kteří se s ním plavili po všech mořích: Falathar, Erellont a Aerandir se jmenovali. Eärendil jim řekl: „Nesestoupí zde nikdo kromě mne, aby na vás nepadl hněv Valar. Já však to nebezpečí na sebe vezmu sám, pro obě plemena."

Elwing však odpověděla: „Potom by se naše cesty navždy rozešly; všechna tvá nebezpečí na sebe vezmu i já." A skočila do bílé pěny a rozběhla se k němu; ale Eärendil byl smutný, protože se bál hněvu Pánů Západu, že totiž padne na každého ze Středozemě, kdo se opováží proniknout do střeženého Amanu. Rozloučili se tam s druhy svých putování a byli od nich navždy vzati.

Pak řekl Eärendil Elwing: „Čekej na mě tady, protože poselství, které je mi souzeno nést, může nést jen jeden." A sám se vydal do té země, přišel do Calacirye a zdála se mu prázdná a tichá; stejně jako v minulém věku Morgoth a Ungoliant přišel totiž i Eärendil v době svátku a téměř všichni elfové odešli do Valimaru nebo se shromáždili v Manwëho síních na Taniquetilu a jen málo jich zůstalo střežit hradby Tirionu.

Někteří jej však z dálky viděli, i velké světlo, které nesl, a chvátali do Valimaru. Ale Eärendil vystoupal na zelený pahorek Tûna a nalezl jej prázdný; vstoupil do ulic Tirionu a shledal, že jsou vylidněné; a srdce měl těžké, protože se ulekl, že nějaké zlo přišlo i na Blaženou říši. Kráčel opuštěnými cestami Tirionu, prach na jeho šatech a botách byl diamantový a on se třpytil a blyštěl, když stoupal po dlouhém bílém schodišti. Hlasitě volal mnoha jazyky elfů i lidí, nikdo mu však neodpovídal. Proto se posléze obrátil zpátky k moři; ale právě když se vydal na cestu k pobřeží, na kopci stanul kdosi, kdo na něho velkým hlasem zavolal:

„Buď zdráv, Eärendile, nejslavnější z mořeplavců, vyhlížený, jenž přicházíš nečekaně, vytoužený, jenž přicházíš proti všemu očekávání! Buď zdráv, Eärendile, jenž neseš světlo starší než Slunce a Měsíc! Nádhero Dětí Země, hvězdo ve tmě, klenote v zapadajícím slunci, zářící zjitra!"

Byl to hlas Eonwëho, Manwëho herolda; přišel z Valimaru a povolal Eärendila před Mocnosti Ardy. A Eärendil šel do Valinoru, do valimarských síní, a víckrát nestanul na zemích lidí. Potom se Valar sebrali k poradě a povolali z hlubin moře Ulma; Eärendil stanul před jejich tváří a předal poselství obou plemen. Prosil o odpuštění pro Noldor a o slitování s jejich velkým žalem, o milosrdenství pro lidi a elfy a o pomoc v jejich nouzi. A jeho prosba byla vyslyšena.

Mezi elfy se vypráví, že potom, co Eärendil odešel za svou manželkou Elwing, promluvil Mandos o jeho osudu. Řekl: „Má smrtelný člověk zaživa vstoupit na půdu zemí neumírajících, a přece žít?" Ale Ulmo řekl: „Proto se narodil na svět. A pověz mi, je Eärendil Tuorův syn z rodu Hadorova, nebo syn Idril, Turgonovy dcery z elfského domu Finwëho?" A Mandos odpověděl: „Ani Noldor, kteří svévolně odešli do vyhnanství, nesmějí zpátky."

Ale když bylo všechno řečeno, vynesl Manwë rozsudek a řekl: „V této věci je moc konečného soudu dána mně. Nebezpečí, do něhož se odvážil pro obě plemena, nepadne na Eärendila ani na jeho manželku Elwing, která vstoupila do nebezpečí z lásky k němu, ale již nikdy nebudou chodit mezi elfy a lidmi ve Vnějších zemích. Toto je můj ortel: Eärendilovi, Elwing a jejich synům bude dovoleno, aby si každý svobodně vybral, se kterým plemenem má byt spojen jejich osud a s kterým plemenem mají byt souzeni."

Když byl Eärendil dlouho pryč, Elwing pocítila osamělost a strach. Chodila po kraji moře a došla blízko Alqualondë, kde kotvily lodě Teleri. Teleri se jí tam ujali, vyslechli její vyprávění o Doriathu a Gondolinu i o zármutcích Beleriandu a pocítili lítost a úžas; tam v Labutím přístavu ji také našel vracející se Eärendil. Zanedlouho však byli povoláni do Valimaru a tam jim byl oznámen ortel Staršího krále.

Eärendil řekl Elwing: „Vol ty, protože já jsem nyní unaven světem." A Elwing si zvolila být souzena s Ilúvatarovými Prvorozenými dětmi, kvůli Lúthien; a kvůli ní si Eärendil zvolil stejně, třebaže jeho srdce bylo spíš při lidském rodu a lidu jeho otce. Pak na pokyn Valar vyšel Eonwë na pobřeží Amanu, kde zůstali Eärendilovi druhové a čekali na zprávy, vzal člun, tři mořeplavci do něho byli posazeni a Valar je velkým větrem odeslali na Východ. Ale Vingilot vzali, posvětili a odnesli přes Valinor na nejzazší okraj světa; tam prošel Dveřmi noci a byl vyzdvižen do nebeského oceánu.

Nyní byla té lodi dána podivuhodná krása; byla naplněna mihotavým, čirým a jasným plamenem, Eärendil Mořeplavec seděl u kormidla, třpytil se prachem elfských klenotů a silmaril měl připevněný na čele.

Daleko putoval s tou lodí, až do bezhvězdného prázdna, ale nejčastěji ho bylo vidět zrána nebo navečer, jak se mihotá ve vycházejícím nebo zapadajícím slunci, když se vrací do Valinoru z pouti za hranice světa.

Na tyto plavby se Elwing nevydávala, protože by nevydržela chlad bezcestného prázdna a milovala spíš zemi a sladký vánek, který hladí moře a pahorky. Proto jí na severu na kraji Dělicích moří postavili bílou věž; někdy se tam slétali všichni mořští ptáci z celé země. Říká se, že se Elwing naučila řeči ptáků; sama přece kdysi nesla jejich podobu, a oni ji naučili umění létat; křídla měla bílá a stříbrošedá. Někdy, když se Eärendil při návratu opět přiblížil k Ardě, vzlétala mu vstříc, jako

tenkrát, když byla zachráněna z moře. Tu ji dalekozrací elfové sídlící na Osamělém ostrově vídali jako bílého ptáka, zářícího a růžově zbarveného zapadajícím sluncem, když se s radostí vznášela na pozdrav Vingilotu vracejícímu se do přístavu.

Když Vingilot poprvé vyplul do nebeských moří, vznesl se neočekávaně, třpytivý a jasný; lid Středozemě jej z dálky pozoroval a žasl. Přijali jej jako znamení a nazvali jej Gil-Estel, Hvězda veliké naděje. A když bylo tuto novou hvězdu vidět za večera, Maedhros promluvil ke svému bratru Maglorovi a řekl: „To přece musí být silmaril, který nyní září na Západě!“

A konečný odchod Berena a Lúthien? Slovy *Quenta Silmarillion*: Nikdo neviděl Berena ani Lúthien opouštět svět, ani nezjistil, kde nakonec zůstala jejich těla.

Pozdější verze Zpěvu Leithian

Jedním z prvních literárních úkolů, které otce lákaly po dokončení *Pána prstenů*, a možná tím úplně prvním, byl návrat ke *Zpěvu Leithian*; nemělo jít (jak není třeba dodávat) o navázání na místo, kam vyprávění dospělo v roce 1931 (Carchartothův útok na Berena v branách Angbandu), ale o návrat k začátku básně. Historie textu je velice spletitá, a na tomto místě není třeba říkat víc, než že otec se sice pustil do radikálního přepracování *Zpěvu* jako celku, ale tento záměr brzy pominul nebo ho překonalo něco jiného, a zůstalo z něj několik krátkých nesouvisejících úryvků. Zde, po uplynutí čtvrtstoletí uvádím významné příklady těchto nových veršů; jde o tu část *Zpěvu*, která se týká zrady Gorlima Nešťastného, která vedla k zabití Berenova otce Barahira a celé jeho družiny, až na samotného Berena. Jde o zdaleka nejdelší z nových částí a lze ji příhodně porovnat s původním textem uvedeným zde na str. 68–76. Uvidíme, jak Morgotha nahradil Sauron (Thû), vyhnaný z „Ostrova vlkodlaků“, a že jde, co do kvality veršů, o novou báseň.

Otevírám tento nový text krátkým úryvkem s názvem *O blaženém Tarn Aeluinu*, který nemá protějšek v původní verzi; tyto verše jsou očíslovány 1–26.

Toliko smělých činů vykonali,
až sami lovci lovených se báli,
že prchli, jen co měli o nich zprávu.
Přestože odměna za každou hlavu
královská vskutku byla, žádný zvěd 5

nesvedl Morgothovi povědět,
kde jeho nepřítel má svoji skrýš;
neb tam, kde Dorthonion strmí výš
nad borem ztemnělým a vrchovina
po svahu hnědavém se vzhůru vzpíná 10
až k sněžným vrcholkům, kde vládne mráz,
leželo jezero, v němž nebe jas
se za dne zračil, v noci zrcadlil
svit hvězd, jež na Západě mají cíl
a světlo Elbereth v nich dále plane. 15
Kdys místo svaté, stále požehnané:
sem dosud Morgoth nevrhl své stíny
a netvor nevkročil; kde u hladiny
kruh šumných stříbrošedých bříz se sklání
a za nimi na vřesovité pláni 20
z prastaré Země coby kosti její
kameny vzpřímené ven vyrážejí
a na hlodáše padá jejich stín.
Tam blízko u jezera Aeluin
si štvaný pán a druzi jeho stálí 25
pod šedou skalou úkryt zbudovali.

O Gorlimovi Nešťastném

Jak příběh praví, Gorlim neblahý,
syn Angrimův, vždy plný odvahy,
z nich osud v pravdě nejbídnější měl.
Zprv štěstěna jej svedla s Eilinel, 30
bělostnou dívkou, jíž si záhy vzal
a do hořkého konce miloval.
Však jednoho dne navrátiv se z války,
svá pole našel spálená a zdálky
uprostřed žďáru spatřil stát svůj dům 35
bez střechy, holý, vydán plamenům,

však marně hledal krásnou Eilinel,
jež zmizela a nikdo nevěděl
zda mrtva je, či padla do zajetí.
I srdce ztěžklo mu, neb na paměti 40
měl ustavičně onen černý den,
divokým krajem bloumal pohroužen
v pochybách hlubokých a za nocí
bezesných přemítal, zda pomoci
kdes v lesích nenašla přec jeho žena: 45
že není po smrti, ni odvlečena,
a za mrtvého že jej bude mít,
až odváží se domů navrátit.
Svůj úkryt často opouštěl a sám
pod rouškou noci ubíral se tam, 50
kde jeho dům stál nyní rozvrácený
a do temnoty čněly chladné stěny,
však marně hledal, marně vyčkával,
nic nezvěděl, jen prohloubil svůj žal.

Ba, co víc, prohloupil, neb vůkol všady 55
měl Morgoth slídilů a zvědů řady,
již ve tmách hlubokých se zabydleli;
tak záhy doneslo se nepříteli,
kam Gorlim chodívá. I přišel čas,
kdy jednou do těch míst se vydal zas, 60
sám stezkou zarostlou vstříc soumraku,
podzimním deštěm ztěžklých oblaků,
jež po obloze teskný vítr hnal.
Však co to? V okně domu mihotal
se záblesk světla! Gorlim zůstal stát 65
v úžasu, nadějí i strachem jat,
pak ale dovnitř nahlédl a zřel,
ač změněnou, přec svoji Eilinel!
Žal zryl jí duši, tělo ztýral hlad,
z ramen jí splýval potrhaný šat, 70

zcuchaný měla vlas a slzavým
pak děla hlasem: „Gorlime, přec vím,
že samotnou bys mě tu nenechal!
Pak tedy zabili tě! Jenom žal
mi tady zůstal, samota a chlad, 75
jako bych kamenem se měla stát!“

V tom Gorlim vykřikl a v jeden ráz
zvedl se vichr, plamen v okně zhas,
pak vlci zavyli a ve chvíli
již ruce pekelné jej lapily. 80
Tak do okovů krutých záhy pad
a Morgothovi slouhové se hnát
jej jali před Saurona, kapitána
hord přízraků a vlkodlaků pána,
jenž ohavnou svou zlobou vynikal 85
nad všemi, kterým velel temnot král.
V pevnosti mohutné dlel na ostrově
Gaurhoth; však věren vůli Morgothově
jel v kraj, jenž na jihu se rozprostírá,
i s vojskem hledat psance Barahira. 90
Tak v tábor nedaleký, noční tmou,
teď bijci přivlekli mu oběť svou.
Gorlima spoutaného podrobili
pak trpkým mukám, aby pozbyl síly
jim vzdorovat a počal zradou chtít 95
z bolesti ukrutné se vykoupit.
Ten ale stále odmítal jim říct,
kde Barahir se nachází, a nic
nesvedlo věrnost jeho podlomit.
I vposled dopřáli mu krátký klid, 100
zatímco u pranýře stanul tiše
stín šerý, jenž se skloniv z výše
jal k němu promlouvat o Eilinel.

„Snad život svůj bys takto zmarnit chtěl,
když stačí jen pár slov a za odměnu 105
svobodu opatříš i pro svou ženu?
Žít v míru s ní, co více by sis přál?
To slibuje ti s přátelstvím náš Král.“
Tak Gorlim, zemdlen těžkou bolestí,
zatoužil Eilinel zas nalézti 110
(v domnění, že též v Sauronovu past
se chytila) a dal se slibem zmást,
připraven pochybami o svou vůli.
Žádost i odpor trhaly jej v půli,
když dovlečen byl k trůnu kamennému. 115
Tam před Sauronem stanul, který k němu
obrátil temný zrak, v němž plála zlost
řka: „Červe smrtelný! Prý troufalost
máš se mnou smlouvat, pravda není-liž?
Nuž, pověz, jakou směnu nabízíš? 120
Čeho si žádáš?“ Gorlim sklonil čelo,
jež smutkem hlubokým mu potemnělo,
a vposled pomalu se vyznal z všeho,
žádaje krutého a proradného
pána, zda jako svobodný by směl 125
jít hledat bělostnou svou Eilinel,
zanechat bojů, jež s ním vedl Král,
a v míru žít. Sám nic víc nežádal.

Sauron se usmál: „Hleďme otroka!
Tvá cena věru není vysoká; 130
za velkou zradu žádáš málo jen.
Nuž, moje slovo máš, tak s pravdou ven!
Pověz, co víš, a opovaž se lhát!“
I váhal Gorlim vrávoraje vzad,
však Sauronův zrak nepustil jej dál 135
a v jeho krutou tvář by těžko lhal:
k té k cestě nešlo obrátit se zády,

již krokem prvním dopustil se zrady,
nyní jen musel vyznati se z všeho,
své druhy zaprodat i pána svého. 140
Tak na tvář padnuv učinil a ztich.

I propukl hned Sauron v ryčný smích.
„Ty červe nicotný! Hned vstaň a slyš!
Teď teprv pohár sladký okusíš,
jenž pro tebe jsem, blázne, namíchal! 145
Tys pouhým zjevením se zlákat dal,
které jsem já, já Sauron, stvořil s tím,
že touhou mysl tvou tak obloudím.
Za ženu přízrak snad bys míti chtěl?
Věz, dávno mrtvá je tvá Eilinel 150
a potravou všem červům podzemním!
Však přesto přání tvé ti vyplním:
s Eilinel shledáš se a brzy též
vedle ní v loži opět spočineš,
válečných strastí zbaven – zbaven všeho!“ 155

I odvlekli jej, zrádce nebohého,
a krutě zahubili. Poté tělo
do chladné půdy hodili, by tlelo
tam v lesích spálených, kde jeho žena
před dávným časem byla zavražděna. 160

Tak Gorlim sešel smrtí vpravdě zlou,
sám navždy proklínaje duši svou,
a Barahir byl záhy polapen
v osidlech Morgothových; neboť v plen
svou zradou vydal Gorlim nepříteli 165
Tarn Aeluin, ten úkryt osamělý,
jejž dávné kouzlo posud střežilo,
však nyní cestu volnou mělo zlo.

Severním nebem táhl mračný stín
nad chmurnou hladinou Tarn Aeluin 170
a vřesem sychravým se šelest nes,
když krajem vichr hnal jak lítý běs.
„Berene," pravil Barahir, „můj synu,
ty víš, co proslýchá se za novinu:
prý z Gaurhoth vojsko vstříc nám vyrazilo 175
a z našich zásob poskrovnu tu zbylo.
Ty pomoc musíš nyní vyhledat
té hrstky skrytých přátel, kteří hlad
nám nepřejí, a vyslechnout si zvěsti,
co krajem šíří se. Nuž, hodně štěstí 180
a spěchej, ať se brzy navrátíš!
Bratrstvo naše, beztak malé již,
tvou sílu nemůže teď postrádat,
když v lesích zabloudil, či zhynul snad
nešťastný Gorlim. Sbohem buď, můj synu!" 185
Když Beren opouštěl svou domovinu,
jak zvon mu v srdci otcův pozdrav zněl,
poslední, který od něj uslyšel.

Slatinou, porostem i pustou plání
již dlouho putoval, když znenadání 190
zřel v dáli táborové ohně plát,
zaslechl vlky výt a odevšad
se nesl Sauronových skřetů ryk.
Dnes houfem nepřátel by nepronik,
i nezbylo mu, nežli mezi bory 195
svou hlavu složit u jezevčí nory,
přesto však v noci, k smrti unaven,
zaslechl poblíž (či snad byl to sen),
jak řinčí štíty, chřestí šeré zbroje
a vzhůru k horám vojsko pochoduje. 200

Pak do tmy klesal, čím dál hlouběji,
než jako tonoucí, jenž v naději
se vzhůru sápe, aby lapil dech,
vystoupal Beren na bahnitý břeh
jezera chmurného, kde stromy zmdlené 205
skláněly šedé větve obnažené.
Tam uzřel v korunách se třepotat
namísto listů černých křídel řad
a zobáky, z nichž kanul krve nach.
Zachvěl se odporem, zpět tápal v tmách 210
podrostem spletitým, však pojednou
zahlédl stín, jenž nad hladinou mdlou
se vznášel tiše a již k břehu spěl.
Když vposled přiblížil se, šeptem děl:
„Já Gorlim býval, teď jen přízrak čirý 215
své vůle zlomené a slabé víry,
zrazený zrádce. Ty však dej se v spěch!
Vždyť otci tvému záhy dojde dech,
neb hrdlo nepřítel mu svírá málem.
Již není úkrytu před temným králem, 220
jenž ví, kde hledat skrýši tajenou."

Pak vyprávěl, jak padl v léčku zlou
a kterak v zkoušce trpké neobstál,
za odpuštění prosil pak a lkal,
načež zas do tmy zmizel. Beren však 225
v tom okamžení vyskočil a zrak
mu hněvem plál. Hned popadl své zbraně,
svůj meč a luk, a skokem mrštné laně
vpřed cestou dal se. Ještě za rozbřesku
nejednu zdolal kamenitou stezku, 230
by za soumraku v šarlatovém šeru
dorazil vposled zpátky ku jezeru,
kde mračna vrhala svůj rudý stín.
Však krví vskutku rudlo Aeluin.

Březové větve byly obtěžkány 235
černými křídly: krkavci a vrány
zobákem krutým, krvavými spáry
z temného masa rvali rudé cáry.
Zakrákal jeden: „Pozdě přicházíš!“
a sborem znělo: „Pozdě! Pozdě již!“ 240

Tak Beren v spěchu hotovil se k dílu
by Barahira pohřbil pod mohylu
z kamenů holých, do nichž rukou svou
však nevyryl ni runu jedinou,
třikráte ale vzýval otce jménem, 245
udeřiv pěstí třikrát do kamene:
„Já smrt tvou pomstím, to ti přísahám,
i kdybych Angbandu měl čelit sám.“
I odvrátil se, ale neplakal,
neb srdce zatvrdil mu těžký žal. 250
Pak sám se bez přátel a bez pomoci
vstříc vydal nevlídné a chladné noci.

I lovec nezkušený bez nesnází
by našel cestu, jíž ti krutí vrazi
se brali ku severu v pyšném šiku, 255
vítězným pochodem. Za polnic ryku
dujíce pánu svému na pozdrav
bez bázně zemi zdusali jak brav.
Tak nyní Beren šel jim ve stopách
jak hbitý pes, jenž zvětřil zvěře pach, 260
směle, však ostražitě putoval,
až k temné tůni, kudy Rivil hnal
od plání kamenitých vody své
k Serechu, slati sítím zarostlé.
Skryt v kopcích, nedaleko ve stráni, 265
zřel tábor nepřátel jak na dlani:
ač dostatek měl odvahy a sil,

všechny by zbraní svou přec neskolil.
Jak travinou had připlížil se blíž,
kde mnozí vyčerpáním spali již, 270
však jejich kapitáni ještě bděli,
na zemi rozvalení popíjeli,
a jeden druhému zle záviděl
lup, který lačně strhli z mrtvých těl.
„Koukejte, braši," zvolal jeden z nich 275
a prsten drahocenný v dlani zdvih.
„Že ten je můj, ať nikdo nepopírá!
Já stáhl jsem ho z ruky Barahira,
bídného lapky, kterého jsem sklál.
Tomu prý daroval jej elfský král 280
za pomoc v jakési kdys bitvě kleté.
Takový prsten jen tak nenajdete.
Štěstí mu nepřinesl – mrtvý je.
Ten šperk je plný elfské magie.
Zlato však zlato je, co já už s tím, 285
rád si jím mizerný žold vylepším.
I Sauron touží vlastnit tenhle skvost.
Mně ale zdá se, že má přece dost
vzácnějších klenotů v své pokladnici.
Tak všichni vězte, co mu máte říci – 290
neb lakota by pánu neslušela –
že ruku Barahir měl holou zcela!"
Však po těch slovech zůstal náhle němý,
kdes v lese drnkla tětiva a k zemi
hned skřet se skácel, z hrdla šíp mu čněl 295
a na tváři škleb lačný zkameněl.

Jak strašný vlkodav vzal Beren ztečí
pak tábor skřetí. Sotva sáhnul k meči,
dva smetl a již v hrsti prsten měl,
dalšího skolil, houfem nepřátel 300
se proklestil a skokem prchnul jim

do noci temné, dřív než údolím
se vposled rozezněl ryk neurvalý.
Jak smečka vlků hned se za ním hnali
a v hlasech mísil se jim vztek i strach, 305
když zhurta hledali jej v houštinách
a nocí pokaždé zněl šípů svist,
jakmile stín se hnul či zachvěl list.

Však Beren v čarovný se zrodil čas
a z polnic burácivých měl jen špás, 310
ze smrtelníků v běhu nedostižný,
nezdolný v horách, na slatinách svižný,
jak lesů znalý elf zas do tmy vplul
a žádný z šípů se jej nedotknul,
jsa chráněn trpasličí zbrojí svou 315
v nogrodských jeskyních kdys ukutou.

Široko daleko byl Beren znám
co smělý hrdina, jenž čelí tmám,
a jeho jméno rostlo na věhlase,
že Barahira nebo Bergolase 320
sám časem zastínil a větší slávy
nepoznal ani Hador zlatohlavý;
však nyní zachvátil mu srdce žal
a beznaděj, že sotva bojoval
s radostí, která životu přec svědčí, 325
a již jen ze msty trpké sahal k meči,
by Morgoth pocítil, že den co den
odplatou pádnou bude zasažen
od reka, jenž i smrt by uvítal
a jenom želez otrockých se bál. 330
Záhubu hledal, vítal nebezpečí,
však neskonal ni v řeži sebevětší
vykonav činy, při nichž dech se tají,
a v mnohých, kteří dleli na pokraji

zoufalství, vzkřísil naději a sílu. 335
Jen vyřkli jeho jméno a již k dílu
se hotovili, ostříce své meče,
a často nad ohněm, když nastal večer,
zpívali o Dagmoru, meči jeho,
a luku, jimiž soka nejednoho 340
skolil: jak tábory lstí přepadal
a v mžiku skřetí náčelníky klál,
či kterak z obležení svého skrytu
zázračně vyklouzl, by za úsvitu
či v nočních mlhách navrátil se zas. 345
O lovcích lovených pěl písně hlas,
jak smrti neunikl Gorgol Vrah,
jak v Drûn i v Ladros bili na poplach,
když jednou nepřátel sklál na třicet
a vlky s kňučením hnal rázem zpět, 350
ba v Sauronovu ruku mečem ťal.
Tak Beren smrtelný strach rozdmýchal,
byv Morgothovu lidu dobře znám;
ač samoten, přec nebojoval sám,
neb přízní svou mu byli nakloněni 355
tvorové srstnatí i opeření,
nad jeho kroky bděli bez ustání,
ať pouští šel, či kamenitou strání,
a věrné své měl v bučině i v doubí.

Však psance věčně tíží přízrak zhouby 360
a ze všech králů, které znal svět zdejší,
jak v písních praví se, byl nemocnější
pán temnot, Morgoth, jehož krutá ruka
vrhala temné stíny do daleka
a ústup věstil vždy jen další boj, 365
kde padlé střídal dvojnásobný voj.
S povstalci zhynul naděje vší jas;
pohaslo světlo, ztichl písní hlas,

stavení zpleněná i hvozdy vzplály,
když krajinou se hordy skřetů hnaly. 370

Berena záhy málem obklíčili
jak v kruhu železném a každou chvíli
měl v patách zvědů houf. Tak v obležení,
z nějž bez pomoci lehké cesty není,
u konce s dechem, v shonu děsivém 375
poznal, že smrt jej čeká, pokud zem
svou milovanou hnedle neopustí,
zem otce svého, z jehož mocných kostí
nezbude nic než bezejmenný prach
pod vrchem kamenným kdes v mokřinách, 380
kde zanechal jej vlastní lid i syn,
jen rákos lká u břehů Aeluin.

Za noci mrazivé skryt v zimním šeru
opustil byvší domov na Severu,
by proklouzl skrz hlídky nepřátel, 385
jak lehký vánek kolem proletěl
ve sněhu zanechav jen pouhý stín;
byl pryč, by vody mdlé Tarn Aeluin,
ni Dorthonion, z něhož troud jen zbyl,
již poté nikdy více nespatřil. 390
Tam jeho tětiva již nezapěje,
a hbitým šípem vzduch se nezachvěje,
tam nesloží již k spánku v mech a trávu
pod nebem širým uštvanou svou hlavu.
Jak stříbro na severu hvězdy plály, 395
jež lidé Keřem ohnivým kdys zvali,
a jejich svit teď Beren v zádech měl
když zemi zpustlou vposled opouštěl.

K jihu se otočil a na jih dál
se cestou strastiplnou ubíral 400

a na obzoru tyčily se stále
vrcholy Gorgorathu neskonalé.
Ty stráně mrazivé, ten strmý štít
nesvedl žádný člověk pokořit,
ni kročej odvážná a tuze smělá 405
k útesům jižním dosud nedospěla,
kde hrotitý sráz vrhá temný stín
a mysl jímá závrať ze hlubin,
v nichž ztrácejí se věkovité skály,
jež slunce ani měsíc nepoznaly. 410
V zákrutech zrádných kdesi pod převisy,
kde hořká voda se sladkou se mísí,
tam skryta v údolí a roklin tmách
moc kouzel číhala, však v dálavách,
kam lidské oko dozřelo by stěží 415
a pouze orel z výšin skalních věží,
jež k nebi strmí, moh by zahlédnout
jak hvězdu na hladině skvít se kout,
kde Beleriand, Beleriand blahý je,
pomezí čaromocné Elfie. 420

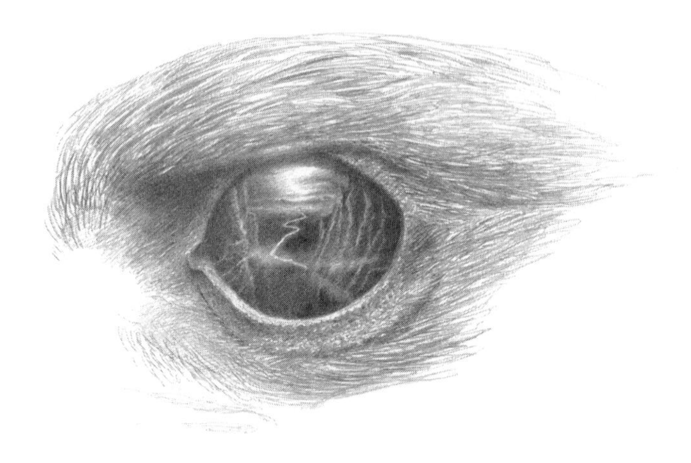

Vytvořil jsem tento seznam jmen (omezený na ta, která se objevují v otcových textech), který očividně není rejstříkem, ze dvou důvodů.

Ani jeden z nich není pro knihu nijak nezbytný. Za prvé jsem chtěl být nápomocen čtenáři, který si v tom množství jmen (a jejich variant) právě nevybaví, k čemu název odkazuje, přestože je to v dané pasáži důležité. A za druhé jsou určité názvy a jména, zejména takové, které se v textu vyskytují zřídka nebo jen jednou, doplněny podrobnějším vysvětlením. Tak například by možná čtenář chtěl vědět, proč se Eldar nedotýkají pavouků „kvůli Ungweliantë (str. 34), přestože to v příběhu nehraje roli.

Aeluin — Jezero na severovýchodu Dorthonionu, kde si zřídil skrýš Barahir se svou družinou.

Aglon — Úzký průsmyk mezi Taur-na-Fuin a vrchem Himring, který ovládli Fëanorovi synové.

Ainur — (sing. *Ainu*) „Svatí“: Valar a Maiar. [Jméno Maiar je pozdějším uvedením starší koncepce: „S velikými přišlo mnoho menších duchů, bytostí svého druhu, ale menší moci“ (jako byla Melian).]

Aman — Země na Západě za Velkým mořem, kde sídlí Valar („Blažená říše“).

Anfauglith — „Dusivý prach“. Viz *Dor-na-Fauglith*; *Žíznivá planina.*

Angainu — Velký řetěz, který vyrobil Vala Aulë a kterým byl spoután Morgoth (později Angainor).

Angmandi — (plurál) „Železné peklo“. Viz Angband.

Angband — Velká Morgothova podzemní pevnost na severozápadě Středozemě.

Angrim — Otec Gorlima Nešťastného.

Angrod — Syn Finrodův (později Finarfin).

Arda — Země.

Artanor „Země na druhé straně“; oblast později nazvaná Doriath, království Tinwelintovo (Thingolovo).

Aryador „Země stínu“, název Hisilómë (Dor-lóminu) užívaný mezi lidmi. Viz *Hisilómë*.

Ascar Řeka v Ossiriandu, přejmenovaná později na Rathlorion, „Zlaté řečiště“, když se v ní potopil poklad Doriathu.

Aulë Velký Vala známý jako Kovář Aulë; je to „mistr všech řemesel“ a „panuje nad všemi látkami, z nich se skládá Arda“.

Ausir Jméno Diora.

Balrogové [Ve *Ztracených pověstech* existují „stovky“ balrogů. Říká se jim „démoni síly“; nosí železné brnění, mají ocelové spáry a ohňové biče.]

Barahir Náčelník lidských mužů, otec Berenův.

Bauglir „Donucovač“, jméno Morgothovo mezi Noldor.

Beleg Elf z Doriathu, skvělý lučištník, zvaný *Cúthalion*, „Silný luk“; společník a přítel Túrina Turambara, který ho nešťastně zabil.

Belegost Jedno z dvou velkých trpasličích měst v Modrých horách.

Beleriand (v dřívější podobě Broseliand) Velké území ve Středozemi, z větší části zatopené a zničené na konci prvního věku. Sahalo od Modrých hor na východě po Hory stínu na Severu (viz *Železné hory*) a k západním pobřežím.

Bëor Vůdce prvních lidí, kteří vkročili do Beleriandu. Viz *Edain*.

Blažená říše Viz *Aman*.

Bohové Viz *Valar*.

Boldog Náčelník skřetů.

Bregolas Bratr Barahirův.

Calacirya Průsmyk ve Valinorských horách, kde se nacházelo město elfů.

Carcharoth Viz *Karkaras*.

Celegorm Syn Fëanorův, zvaný „Světlý“.

Cranthir Syn Fëanorův, zvaný „Temný“.

i-Cuilwarthon „Mrtví, kteří žijí“ – Beren a Lúthien po návratu z Mandosu; *Cuilwarthien*: Země, kde sídlili. (V pozdější podobě *Guilwarthon*.)

Cuiviénen Voda probuzení: jezero ve Středozemi, u nějž se probudili elfové.

Cûm-nan-Arasaith Mohyla chtivosti navršená nad zabitými v Menegrothu.

Curufin Syn Fëanorův, zvaný „Obratný“.

Čarodějův ostrov Tol Sirion.

Dagmor Berenův meč.

Dairon Artanorský hudebník, „jeden ze tří nejkouzelnějších elfských hudebníků“; původně bratr Lúthien.

Damrod a Díriel	Nejmladší synové Fëanorovi. (Později pojmenováni *Amrod* a *Amras.*)
Dior	Syn Berena a Lúthien; otec Elwing, matky Elronda a Elrose.
Doriath	Pozdější název Artanoru, velkého lesnatého území, kterému vládli Thingol (Tinwlint) a Melian (Gwendelig).
Dor-lómin	Viz *Hilsilómë.*
Dor-na-Fauglith	Velká travnatá planina v Ard-galenu severně od Hor noci (*Dorthonion*), která se změnila v poušť (viz *Anfauglith*, *Žíznivá planina*).
Dorthonion	„Země borovic", rozsáhlá oblast porostlá borovicemi na severní hranici Beleriandu; později nazvaná *Taur-na-Fuin*, „Les noci".
Drûn	Oblast na sever od jezera Aleuin; nikde jinde se tento název nevyskytuje.
Drauglin	Největší z Thûových (Sauronových) vlkodlaků.
Eärámë	„Sokolí peruť", Tuorova loď.
Eärendel	(pozdější forma *Eärendil*) Syn Tuora a Idril, dcery krále Gondolinu Turgona; oženil se s Elwing.
Edain	„Druhý lid", lidé, užíváno hlavně pro Tři domy Přátel elfů, kteří jako první přišli do Beleriandu.
Egnor bo-Rimion	„Elfský lovec": otec Berena, později nahrazeno jménem Barahir.
Eilinel	Manželka Gorlima.
Elbereth	„Paní hvězd"; viz *Varda.*
Eldalië	(Elfí lid), Eldar.
Eldar	Elfové, kteří se vydali na velký pochod z místa svého probuzení; v raných textech občas užíváno pro všechny elfy.
Elfie	Souhrnný název všech elfských zemí.
Elrond z Roklinky	Syn Elwing a Eärendela.
Elros	Syn Elwing a Eärendela; první král Númenoru.
Elwing	Dcera Diora, provdaná za Eärendela, matka Elronda a Elrose.
Eönwë	Manwëho posel.
Erchamion	„Jednoruký", pojmenování Berena; jiné formy jsou *Ermabwed*, *Elmavoitë.*
Esgalduina	Řeka v Doriathu, protékající kolem Menegrothu (Thingolova sídla), vlévá se do Sirionu.
Fëanor	Nejstarší syn Finwëho; tvůrce silmarilů.
Felagund	Noldorský elf, zakladatel Nargothrondu; přísahal přátelství Berenovu otci Barahirovi. [O vztahu jmen *Felagund* a *Finrod* viz str. 77.]
Fingolfin	Druhý syn Finwëho; zabit při souboji s Morgothem.
Fingon	Nejstarší Fingolfinův syn; po smrti otce král Noldor.
Finrod	Třetí syn Finwëho. [Přejmenován na *Finarfina*, když se Finrod stal jménem jeho syna *Finroda Felagunda*.]

Finwë — Vůdce druhého zástupu elfů, Noldor (Noldoli) při Velkém pochodu.

Gaurhoth — Thûovi (Sauronovi) vlkodlaci; *Ostrov vlkodlaků* viz *Tol-in-Gaurhoth*

Gelion — Velká řeka ve Východním Beleriandu, živená přítoky z Modrých hor v Ossiriandu.

Gilim — Obr, kterého jmenuje Lúthien při svém „prodlužovacím zaklínání" svých vlasů (str. 43); jinak neznámý, až na odpovídající pasáž ze *Zpěvu Leithian*, kde je pojmenován „obr z Erumanu" [oblast na pobřeží Amanu, „kde jsou stíny nejhlubší a nejtemnější na světě"].

Gimli — Prastarý slepý noldorský elf, dlouho zajatý otrok v Tevildově pevnosti, obdařený mimořádným sluchem. V *Příběhu o Tinúviel* ani v jiném vyprávění nehraje žádnou roli a nikde jinde se neobjevuje.

Ginglith — Řeka, která se nad Nargothrondem vlévá do Narogu.

Glómund, Glorund — Starší jména Glaurunga, „Otce draků", největšího z Morgothových draků.

Gnómové — Starší překlad jména *Noldoli*, *Noldor*. Viz str. 27.

Gondolin — Ukryté město, jež založil Turgon, druhý syn Fingolfinův.

Gorgol — zvaný *Řezník*. Skřet, kterého zabil Beren.

Gorgorath — (Též *Gorgoroth*) Hory děsu; svahy, kterými Dorthonion klesá k jihu.

Gorlim — Jeden ze společníků Berenova otce Barahira; prozradil jejich úkryt Morgothovi (pozdější Sauron). Zvaný *Gorlim Nešťastný*.

Grond — Morgothova zbraň, velký palcát známý jako Kladivo podsvětí

Guilwarthon — Viz *i-Cuilwarthon*.

Gwendeling — Dřívější jméno Melian.

Hador — Velký pohlavár lidí, zvaný „Zlatovlasý", děd Túrinova otce Húrina, a Huora, otce Tuora, otce Eärendela.

Himling — Vysoký vrch na severu Východního Beleriandu, pevnost synů Fëanorových.

Hirilorn — „Strom Paní", vysoký buk poblíž Menegrothu (Thingolových síní), v jeho větvích byl domek, v němž byla uvězněna Lúthien.

Hisilómë — Hithlum. [V seznamu jmen z období *Ztracených příběhů* stojí: „Dor-lómin neboli ‚Země stínu' byl kraj, který Eldar pojmenovali *Hisilómë* (a to značí ‚stinné soumraky') ... a je tak nazván z důvodu skrovného slunečního svitu, který sem dopadá zpoza Železných hor na východě a na jihu."]

Hithlum — Viz *Hisilómë*.

Hory stínu, Stínové hory Viz *Železné hory*.

Hořící keř Souhvězdí Velké medvědice.

Hrůza nočního stínu Překlad Taur-na-Fuin; viz *Hory noci*.

Huan Mohutný vlkodav z Valinoru, který se stal přítelem a zachráncem Berena a Lúthien.

Húrin Otec Túrina Turambara a Niënor.

Idril Zvaná *Celebrindal*, „Stříbronohá“, dcera gondolinského krále Turgona; provdala se Tuora; matka Eärendela.

Ilkorinové, Ilkorindi Elfové z Kôru, města elfů v Amanu (viz *Kôr*).

Indravangové (též *Indrafangové*) „Dlouhé brady“, trpaslíci z Belegostu.

Ingwil Řeka vlévající se u Nargothrondu do Narogu (pozdější forma *Ringwil*).

Ivárë Proslulý elfský hudebník, „jenž hrává u moře“.

Ivrin Jezero pod Horami stínu, kde pramení řeka Narog.

Karkaras Obrovský vlk, který střežil brány Angbandu (později *Carcharoth*); jeho ohon jmenuje Lúthien ve svém „prodlužovacím zaklínadle“; překládá se „Ostrotesák“.

Kôr Elfské město v Amanu a vrch, na němž bylo zbudováno; později se z města stal *Tûn* a vrch si ponechal název *Kôr*. [Nakonec se z města stal *Tirion* a z vrchu *Túna*.]

Labutí přístav Viz *Poznámky ke Starým časům*, str. 19.

Ladros Oblast na severovýchodě Dorthonionu.

Ledová tříšť *Helcaraxë*: úžina na dalekém Severu mezi Středozemí a Západní zemí.

Lesní elfové Elfové z Artanoru.

Lórien Valar Mandos a Lórien byli zváni bratry a říkalo se jim *Fanturi*: Mandos byl *Néfantur* a Lórien *Olofantur*. Podle *Quenty* byl Lórien „tvůrce vidění a snů; a jeho zahrady v zemi bohů byly nejluznějším místem na světě a naplňovali je mnozí duchové krásy a moci“.

Lovecké vrchy (též *Lovecké pahorky*) Vysočina na západ od řeky Narog.

Mablung „Těžkoruký“, elf z Doriathu, přední z Thingolových pohlavárů; byl přítomen Berenově smrti při pronásledování Karkarase.

Maglor Druhý z Fëanorových synů, oslavovaný pěvec a hudebník.

Maiar viz *Ainur*.

Maidros Nejstarší Fëanorův syn, zvaný „Vysoký“ (pozdější forma *Maedhros*).

Mandos Velmi mocný Vala. Je soudcem, správcem Domů mrtvých a svolavatelem duchů zabitých [*Quenta*]. Viz *Lórien*.

Manwë Hlavní a nejmocnější z Valar, choť Vardy.

Melian Královna Artanoru (Doriathu), dřívějším jménem *Gwendeling*; Maia, která přišla do Středozemě z říší Valy Lóriena.

Melko Velký zlý Vala, Morgoth (později *Melkor*).

Menegroth Viz *Tisíc jeskyní*.

Miaulë Kocour, kuchař v Tevildových kuchyních.

Mîm Trpaslík, který se usídlil v Nargothrondu po odchodu Draka a proklel tamní poklad.

Mindeb Řeka vlévající se v Doriathu do Sirionu.

Modré hory Velké horské pásmo tvořící východní hranici Beleriandu.

Moře stínu Oblast na západě Velkého moře.

Nan Jediné, co je o Nanovi známo, je podle všeho jméno jeho meče *Glend*, který vzývá Lúthien ve svém „prodlužovacím zaklínání" (viz *Gilim*).

Nan Dumgorthin „Země temných model", kde se Huan setkal s Berenem a Lúthien, když prchali z Angbandu (viz str. 58). V aliterativní básni *Zpěv o dětech Húrinových* jsou tyto verše:

v Nan Dumgorthin kde bozi bez jména
mají skryté svatyně ve stínech tajných
starší než Morgoth či starodávní páni,
zlatí Bohové Západu střeženého.

Nargothrond Velké jeskynní město a pevnost, jež založil Felagund na řece Narog v Západním Beleriandu.

Narog Řeka v Západním Beleriandu; viz *Nargothrond*.

Naugladur Pán trpaslíků v Nogrodu.

Nauglamír Trpasličí náhrdelník, do nějž byl zasazen silmaril Berena a Lúthien.

Nessa Sestra Oromëho, choť Tulkase. Viz *Valier*.

Nogrod Jedno z dvou velkých trpasličích měst v Modrých horách.

Noldoli, později *Noldor* Druhý zástup elfů při Velkém pochodu, který vedl Finwë.

Oikeroi Divoký kocour bojovník ve službách Tevilda, zabitý Huanem.

Orodreth Bratr Felagunda; král Nargothrondu po Felagundově smrti.

Oromë Vala zvaný Lovec; na svém koni vedl zástupy Eldar při Velkém pochodu.

Osamělý ostrov Tol Eressëa: rozlehlý ostrov ve Velkém moři poblíž břehů Amanu; nejvýchodnější ze Zemí neumírajících, kde sídlí mnoho elfů.

Ossiriand „Země sedmi řek", tj. Gelionu a jeho přítoků z Modrých hor.

Palisor	Oblast Velkých zemí, kde se probudili elfové.
Pěnoplavci	Příbuzní Eldar, zvaní *Solosimpi*, později *Teleri*; třetí a poslední zástup při Velkém pochodu.
Rathlorion	Řeka v Ossiriandu. Viz *Ascar*.
Ringil	Fingolfinův meč.
Rivil	Řeka pramenící na západě Dorthonionu a vlévající se do Sirionu v bažině Serech na sever od Tol Sirionu.
Sarn Athrad	Kamenitý brod, kde řeku Ascar v Ossiriandu kříží silnice vedoucí do trpasličích měst v Modrých horách.
Serech	Velká bažina na soutoku řek Rivil a Sirion; viz *Rivil*.
Srp bohů	Souhvězdí Velkého vozu [které Varda zasadila na severní oblohu jako pohrůžku Morgothovi a předzvěst jeho pádu].
Silmarily	Tři velké drahokamy naplněné světlem Dvou valinorských stromů, vyrobené Fëanorem. Viz str. 30.
Silpion	Bílý valinorský strom, z jehož květů kane rosa stříbrného světla; zvaný též *Telperion*.
Sirion	Velká řeka Beleriandu, pramenící v Horách stínu a plynoucí na jih, odděluje Východní a Západní Beleriand.
Střežená pláň	Velká planina mezi řekami Narog a Teiglin severně od Nargothrondu.
Taniquetil	Nejvyšší hora Amanu, sídlo Manwëho a Vardy.
Taurfuin, *Taur-na-Fuin*,	(později *-nu-*) Les noci; Viz *Hory noci*.
Tavros	Gnómské jméno Valy Oromëho: Pán lesů; pozdější forma Tauros.
Tevildo	Kníže koček, nejmocnější z koček, „posedlý zlým duchem" (viz str. 39, 52), blízký společník Morgothův.
Thangorodrim	Hory nad Angbandem.
Thingol	Král Artanoru (Doriathu); dřívějším jménem *Tinwelint*. [Jmenoval se *Elwë*: byl vůdcem Teleri, třetího zástupu Eldar, při Velkém pochodu, ale v Beleriandu byl znám jako „Šedoplášť" (což je význam jména *Thingol*).]
Thorondor	Král Orlů.
Thû	Nekromant, nejmocnější z Morgothových služebníků, sídlící na elfské strážní věži na Tol Sirionu; pozdějším jménem *Sauron*.
Thuringwethil	Jméno, pod kterým vystupovala Lúthien v netopýří podobě před Morgothem.
Timbrenting	Staroanglické jméno Taniquetilu.
Tinfang Sedmihlásek	Slavný hudebník [*Tinfang* = quenijské *timpinen*, „pištec"].

Tisíc jeskyní Menegrothu Ukryté síně Tinwelinta (Thingola) na řece Esgalduině v Artanoru.

Tinúviel „Dcera soumraku“, slavík: jméno, které dal Lúthien Beren.

Tinwelint Král Artanoru; viz *Thingol*, pozdější jméno.

Tirion Elfské město v Amanu; viz *Kôr*.

Tol-in-Gaurhoth Ostrov vlkodlaků, jméno Tol Sirionu, poté co ho zabral Morgoth.

Tol Sirion Ostrov na řece Sirion, na kterém stávala elfská pevnost; viz Tol-in-Gaurhoth.

Trpké vrchy Viz *Železné hory*.

Tulkas Vala, kterého *Quenta* popisuje „v údech nejsilnější z Bohů a nejvýtečnější ve skutcích odvahy a chrabrosti“.

Tuor Bratranec Túrinův a otec Eärendila.

Túrin Syn Húrina a Morwen; zvaný Turambar, „Pán sudby“.

Uinen Maia (viz *Ainur*). „Paní moří, jejíž vlasy se rozprostírají ve všech vodách pod oblohou“; její jméno vysloví Lúthien ve svém „prodlužovacím zaklínadle“.

Ulmo „Pán vod“, velký Vala moří.

Umboth-Muilin *Soumračná jezera*, kde se vléval do Sirionu Aros, řeka na jihu Doriathu.

Umuyian Starý kocour, Tevildův dveřník.

Ungweliantë Obludný pavouk, přebývající v Erumanu (viz *Gilim*), který spolu s Morgothem zničil Dva stromy ve Valinoru (pozdější podoba *Ungoliant*).

Valar (singulár *Vala*) „Mocnosti“; ve starších textech „Bohové“. Jde o mocné bytosti, které vstoupily do světa na počátku Času. [Ve *Ztraceném příběhu o hudbě Ainur* říká Eriol: „Rád bych věděl, kdo jsou tito Valar; jsou snad Bohové?“ A dostane takovou odpověď: „Mohou být, protože lidé o nich vyprávějí mnoho prapodivných a popletených příběhů, které mají daleko k pravdě, a dávají jim mnoho divných jmen, která tu neuslyšíš.“]

Valier (singulár *Valië*) „Královny Valar“; v této knize jsou jmenovány jen Varda, Vána a Nessa.

Valinor Země Valar v Amanu.

Valmar, Valimar Město Valar ve Valinoru.

Vána Choť Oromëho. Viz *Valier*.

Varda Největší z Valier; choť Manwëho; tvůrkyně hvězd [odtud její jméno Elbereth, „Paní hvězd“].

Vëannë Vypravěčka *Příběhu o Tinúviel*.

Velké moře na západě — *Belegaer*, prostírá se mezi Středozemí a Amanem.

Velké země — Země na východ od Velkého moře; Středozem [což je termín, kterého se ve *Ztracených příbězích* neužívá].

Vnější země — Středozem.

Wingelot — „Pěnový květ“, Eärendelova loď.

Začarované ostrovy — Ostrovy ve Velkém moři.

Zelení elfové — Elfové z Ossiriandu, zvaní *Laiquendi*.

Zpěv Leithian — Viz str. 65.

Železné hory — Zvané též *Trpké vrchy*. Velké horské pásmo odpovídající pozdějším *Ered Wethrin*, *Horám stínu*, jež tvoří jižní a východní hranici Hisilómë (Hithlum). Viz *Hisilómë*.

Žíznivá planina — *Viz Dor-na-Fauglith*.

SEZNAM ILUSTRACÍ

POZNÁMKA K PŘEKLADU

Citované úryvky z *Pána prstenů, Silmarillionu* a *Húrinových dětí* uvádíme ve znění českých překladů Stanislavy Pošustové vydaných v Argu. Citace z Knihy ztracených příběhů (s. 11) je z překladu Andreje Pastorka (J. R. R. Tolkien, *Kniha ztracených pověstí* [sic, takto jen na titulu], 1995).

OBSAH

John Ronald Reuel Tolkien

BEREN A LÚTHIEN

Z anglického originálu *Beren and Lúthien*,
vydaného v roce 2017 nakladatelstvím HarperCollins Publishers v Londýně,
přeložili Martin Světlík (verše), Filip Krajník a Vít Penkala.
Ilustrace Alan Lee.
Odpovědný redaktor Vít Penkala.
Korektury Šárka Dohnalová.
Obálka, sazba a grafická úprava Vladimír Fára.
Technický redaktor Milan Dorazil.
Vydalo nakladatelství Argo, Milíčova 13, 130 00
Praha 3, www.argo.cz, argo@argo.cz,
roku 2023 jako svou 5379. publikaci.
Vytiskly Tiskárny Havlíčkův Brod.
První vydání.

ISBN 978-80-257-4276-1